花千樹

再來的時候

（紀念版）

舒巷城 著

紀念版出版説明

舒巷城（原名王深泉，一九二一年九月十二日—一九九九年四月十五日）是香港土生土長文學作家的代表之一。中英文皆精，能文能藝，才氣非凡。筆下的新詩、小說、散文等都不乏名篇；尤以新詩與小說奠定文壇地位。「他的小說注目於底層小人物的際遇和命運，絕大部份為光怪陸離而變動不居的香港社會造影，即使是以異邦為背景的作品，反映的也是社會的不合理所引致的種種扭曲」（見《香港文叢・舒巷城卷》，三聯書店香港有限公司，一九八九年二月初版封底文字），在香港小說史上留下獨具姿彩的景觀。

一九九九年十月，花千樹出版有限公司成立；同月，優先甄選了《再來的時候》（署名「秦西寧」，一九六〇年六月，香港新月出版社初版）、《太陽下山了》（署名「舒巷城」，一九六二年一月，香港南洋文藝出版社初版）、《白蘭花》（署名「方維」，一九六二年，香港海濱圖書公司初版）、《巴黎兩岸》（署名「舒巷城」，一九七一年三月，香港中流出版社初版）和《艱苦的行程》（署名「邱江海」，一九七一年十二月，香港七十年代雜誌社初版）等五部長篇，組合為「舒巷城小說集」首輯，設計新版，細心排校，作為創業之寶，鄭重向讀書界推薦，迄今仍傳為佳話。

《再來的時候》是舒先生的第一部長篇。一九五八年一月一日至三月十四日，連載於香港《大公報・小說林》。作家譚秀牧先生（即譚藝莎）在一九六〇年獲友人、當年自學出版社東主之一顧鴻支持，擬蒐集舒巷城、呂達（即李陽）、范劍（即海辛）和他自己等每位一種作品，策劃出版一套「香港作家叢書」。舒先生隨即提供此書清晰、整齊的手稿。四人稿齊後，「叢書」定名「海外文學叢書」，每種印行了二千冊。《再來的時候》每冊售港幣二元三角。二〇一一年十二月二十二日，譚先生接受馬輝洪先生（即沈舒）專訪時，談到了此事始末。他認為，舒先生這部長篇處女作「水準相當高，寫作技巧純熟，語言流暢」，「甚至比《太陽下山了》更好」（見馬輝洪編著《回憶舒巷城》，花千樹出版有限公司，二〇一二年十月初版，第一一三至一一三四頁）。兩書相較，評語如是，不啻一家之言，誠可謂見仁見智。

《再來的時候》約九萬字，採用第三人稱敘事，描寫了一個遠行歸來者令人心酸的情感遭遇。方永乃客家人，生於吉隆坡，七年前來港，任洋行會計。不到一年，公司關閉，為了生活，離港到巴西礦山打工。辛勞五年後攢了筆錢，準備成家，遂乘船回來。詎料最後一封信中還說「我常常想起你」的舊同事、戀人吳瑛卻已不告而別，去了新加坡嫁做商人婦；他寄存友人處的積蓄，又無端短了四千港元……在悵惘和空虛中，他邂逅一家頗具規模的出入口洋行的電話接線生華玲；不久，兩人又在共同的親友家偶遇，發現相處融洽且彼此的家庭、人生竟有一些近似遭際，於是漸漸熟落、靠近並互生情愫……

小說情節簡潔，卻引人入勝。這得力於作者的創作能耐。他選擇題材，貼近黎民百姓的現實生活。寫兩個年青男女共事、相愛，一向是小說取之不盡、善剪裁必討好的題材。方永失業，有意遠走他鄉，女友表示會永遠等待；照常理說，這段情前景無虞。男方好不容易捱過五年，如今誰都會推測「再來的時候就將是一個回來而且長居下來的時候」（見本紀念版第二二頁），然則，竟峰迴路轉，事與願違，這就勾起了追蹤的興趣。作者快刀斬亂麻，不耽於往迹，針腳綿密地鋪陳現狀，教人欲罷不能；其間，人物關係的伏線安排巧妙，一旦聯通，推進故事，猶水到渠成，豁然開朗。尤應指出的是，第四章描繪主角情緒跌宕時，時空、人物交錯，回憶與聯想奔湧，想像和比喻並至，心理活動共自語齊宣，氛圍營造得情韻飽滿、充滿人情味，把方永在新舊感情「漩渦」裡的掙扎，表現得淋漓盡致。還有，小說的遣詞造句，準確明快，引你反覆咀嚼，免了詰屈聱牙之弊；對白活潑雋永，切合身份，情趣與理趣兼備，張三與李四分明。詩人兼小說家的優勢，在這裡顯露無遺，值得體認。

這幾年，為緬懷舒先生，我們先後出版了《太陽下山了》（二〇〇八年夏）、《艱苦的行程》（二〇〇九年春夏之交）、《巴黎兩岸》（二〇一〇年春）和《白蘭花》（二〇一一年秋）的紀念版，無不受到讀者歡迎。遵循以上紀念版系列的作法，本書再次重排並設計了全新封面，正文前增印了目錄、作者當年向長篇領域「進軍」時的留影，以及一九六〇年六月新月出版社初版、一九九九年十月本公司重排新版的書影；正文後附錄作者自傳。此版的推出，正好使「舒先生長篇小說紀念版」的編印工程圓滿完成，洵為極有意義的事。

二〇二三年三月六日

五十年代的舒巷城

九十年代的舒巷城

新月出版社，一九六〇年六月

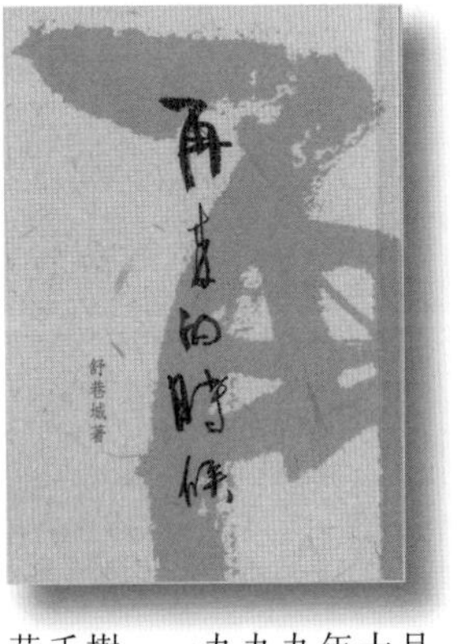

花千樹，一九九九年十月

初版序

一個海員朋友告訴我他的遭遇和辛酸，我聽了很感動。我想到海、船、遠行人和遠行人的歸來。

夜裡睡不著，打算寫這樣的一個簡單的故事：他回來了。我執筆，但寫不下去。暫時忘了它吧，我對自己說。而工餘之暇，晚上靜下來時，那些飽歷風霜的臉孔，那些可愛的善良的人，常常在眼前出現。那喜悅，憂愁，那善良的心，我是了解的。我想起那海員朋友。我想起更多的善良朋友。

於是想到這樣的一個人——

他是個華僑青年，為了生活，東漂西泊；在異國的「山芭」裡過了五年，五年後回來，愛人遠去；故事就是從他萬里歸來的那一天開始。

要寫的故事變得遠不是它原來的面目了，連先前擬定的主題也變了，這是寫作進行中常有的事。那以後，生活裡幾個似曾相識的人物（他們是平凡的人物啊），在我腦中漸漸由模糊的影子變為活生生的人；我彷彿和他們一同生活，呼吸，一同歡笑或下淚，這樣過了好些晚上。那些晚上是難忘的晚上。恰巧其時香港有家日報的副刊需要一個十萬字左右的「抒情」小說，每日規定交出一千五百字，《再來的時候》就是在這樣的情形下寫成的。那是兩年前的事了。

兩年後的今天，本書出版人囑寫一篇序，叫我從何說起呢？重讀拙作一遍之後，實在感到非常慚愧，當時寫的時候雖然很激動，但限於生活經驗和才能，我沒有把這書和書中人物寫好。這就是我要向讀者說的了。

秦西寧（舒巷城）

一九六〇・四・三・燈下・香港

目錄

第一章

是九月尾一個天氣晴朗的早晨。香港海上，粼粼的綠波在金色的陽光下閃呀閃的。八點鐘光景，一艘上萬噸的外國商船緩緩的穿過鯉魚門海峽，駛進港口裡來。

當啟德機場在望時，船下錨了。像其它外來船隻一樣，它得停下來，等候本地醫官上船查詢人們的健康情況。這是一段沉悶的時間。乘客如果是一個外來的遊客，他這時或許會站在甲板上望著這座美麗的城，巴不得一下子就走在它的街道上；乘客如果是一個異地歸來的旅人，有家嗎？他此刻急要看的，不是船外的香港風景，而是岸上自己的家和親人或者朋友。等待是沉悶的呀。但時間終於過去了，雖然過得很慢。

那萬噸的商船又在水上移動了。只見它向前駛去，在西環的海面慢下來；轟隆一聲，船頭的錨鏈向指定的X號浮泡一拋，一搭，完成那泊「泡」的任務後，它那龐大的船身就整個的安靜下來了。

船上和浮泡上剛才緊張了一陣子的工作人員這時有了喘息的機會。甲板上，一個藍眼大紅鬍子的三副在用手帕抹肥脖子上的汗珠。一個水手在尖著嗓子問他的夥伴有香煙沒有。乘客們一陣騷動。沸騰的人聲從客艙傳出，落到海面上。海面上，由於巨輪投下那一片偌大的影子，有一部分海水，在人們不知不覺中，從藍森森變為一片墨綠。做接客生意的艇仔啦、電船仔啦這時都搶著向大船開去，不消一會兒工夫，它們落在那隻大船的黑網一樣的陰影下；從遠處看，它們顯得更細小而模糊了。但是海面上那片喧鬧的聲音，即使你站在很遠的地方，也能聽得見；因為人和生活的呼喚就是那樣壯大——有什麼能夠把它網得住？

現在，沉默著的倒是那隻大船。它偃伏在那兒，像一隻龐大的然而卻是柔馴的什麼怪物。

移民局官員上船檢驗旅客們的護照；個把鐘頭又像蝸牛似的爬過去了，連三等艙裡的搭客也開始陸續離船上岸了。

方永也上了岸。一個手提的皮箱，他的全部行李就是那樣簡單。

「喂，老張！」他朝他的同伴說，「別客氣，你可以先走一步嘛！」

那個叫做老張的，矮胖個子，四十來歲，齜著牙笑道：「那麼方先生，我……」

方永望著他那給太陽晒得黝黑的臉孔，心裡唸叨著：一個老婆，三個精乖的兒女，你在船上告訴我。這回該真要樂一下哪！你到了家哪！「再見！老張！」他嗄著聲嚷起來。

老張的家就在西環。「方先生！」老張走了幾步，猛可又回過來，「記得！有空到我家來坐，啊？」

「好的！」方永向他笑了笑揮揮手。

方永到「找換錢銀」的店子換了幾百塊錢港幣，然後截住了一部「的士」，挽著那發黃的皮箱坐上去。

司機回頭望了這個臉容憔悴、身材高瘦、廿八九歲的青年人一眼，問道：「先生，到什麼地方去？」

什麼地方，方永自個兒一時也決不定，他尋思著，腦門子皺起了楞楞兒：先到銅鑼灣找他的好朋友鄭康平呢，還是馬上到尖沙咀吳瑛的家去？他擰起眉頭，眯了幾眯疲倦的眼睛。突然想起的是一張床！後腦殼往車廂的皮靠子一挨，睜眼一看時，他發覺那右手搭著駕駛盤的司機，還在歪著腦袋張著嘴，等他答話。

「給我找個住的地方吧。」方永說。然後又加上一句：「旅館！」

「怎樣的旅館呢，先生？」司機問。他的意思是——你要價錢貴的還是便宜的？

「隨隨便便的就成了。」方永說。

現在是初秋天時了；司機從對方身穿一件灰色的短袖夏威夷衫這點上猜想：這來客要住的是廉價旅館。

車子沿著海濱的電車路走，那叮叮地響著的綠色的電車，那匆匆趕路的行人，還是老樣子呀，方永想。這些日子，吳瑛一定不會出了什麼亂子。不會。半年沒寫信，算得什麼？他自己不是也一年多沒有寫信回老家了麼？香港這兒不是他的家；但是想起吳瑛，他覺得自己也總算到了家哪。一時興奮起來。睡意也給趕走了。車廂外，陽光下，是他感到親切的可愛的街道！

我跟吳瑛曾經一道在這兒走過。就是海濱這兒。他想。

「抽根煙嗎？」他問司機。

司機道了聲謝謝搖搖頭。他問方永從什麼地方來。

「南美洲。」方永含糊地答道。

「嗯——好地方！」

「找生活嘛，到處不是一樣？」

「先生從前沒到過香港吧？」司機問道，眼睛卻直瞧著前面的路，「聽你口音好像不是本地人。」

嗯，他是客家人，吉隆坡出生的廣東客家人。「我從前在這兒待過的啊。」方永說著，咧嘴一笑。

司機錯愕地哦了一聲。他覺得這顧客一點架子也沒有嘛，便旋過臉來笑了笑：「我剛才還以為先生是初到貴境哩！」

方永在德輔道中找到一家旅館。

房間是在二樓上。茶房收過了房錢，沖了壺茶，拿著那本住客登記簿走後，方永直打著呵欠。

他走到窗邊那隻舊式的小妝枱前，弓身看了看鏡子裡的自己，不覺楞了一下：紫銅色的臉上，那雙有神無氣的眼睛下面，有著黑框框！

幸虧我沒有立刻到吳瑛家去，他暗忖道，這模樣，加上這樣的「身世」（服裝），多難看！怎好去見人家呢？就是去見鄭康平也不行呀。

昨天晚上在船上，大概因為心情太興奮吧，他一夜就沒有好好睡過。他記得當時一邊睡一邊做夢；在夢裡，又突然醒過來；醒了幾次，之後，就再也闔不上眼了。

他脫下了皮鞋往疙裡疙瘩的床墊子上一倒，就呼呼入睡。人實在太疲倦了，連外邊專跟好夢作對的電車擦著路軌的尖響都攪不了他。

方永這一睡，睡得很甜。醒過來的時候，他望望腕錶：三點十分。

他到外邊小食店吃了碗雲吞，然後蹓躂著到了中央市場附近。他發現砵甸乍街和中國街之間矗立著一座壯觀的建築物。「萬宜大廈……」他唸叨著，它樓上窗櫥裡那些花花綠綠的衣料什麼，唔，價錢不會便宜的吧？但他一轉念：好！什麼時候跟吳瑛一塊兒來看看它裡面的貨色！

走過電車路。他記起什麼貨色都有的那條利源東街。「我就買他一套新的！」他想，「自個兒寄放在鄭康平家裡那一點子行李裡面，不錯，還有兩套冬季西服。但現在是秋天！香港天氣不同巴西。再說呀，人的眼睛盯著你，往往先盯著你的衣裳！」

六十塊錢，他在利源東街的一家出售現成西服的舖子買了一套淡灰色的甲巴甸。

身上穿著那件現成新衣，打利源東街趦出來，往回走時，方永腋下夾著一包、一紙袋的東西。進到旅館房間裡面，他先脫衣穿上一件十塊錢買得的嶄新的白襯衣，然後換上紙包裡那條新褲；再套回那件「大衫」。有領帶沒領帶沒關係，照照鏡子，那甲巴甸倒還稱身！

跟著，頭髮下了點油，梳它一梳；連他自己也覺得鏡子裡的方永神采奕奕了。好多日子了，他沒有這樣打扮過呀。

方永走出旅館。他坐渡船到了尖沙咀。走到一條較為幽靜的橫街上時，他突然一怔，只見眼前什麼地方，正有一個皮球向他飛來。他一跳一閃身，本能地把那皮球接在手裡。

「好波！好波！」是幾個孩子的叫喊聲。

方永望過去，只見離開路旁幾棵撐天的老榕樹不遠處，活動著幾個十二三歲的小孩子。他們這邊一個、那邊一個、在點頭楞腦的瞧著自己。看清楚，人數一共只有五個。嗯，是一支尚未成軍的街上足球隊——就是小型隊也得湊夠七人嘛。剛才他們是踢著玩還是練腳頭什麼的，那一記，隨時可能打破人家屋子的玻璃窗哪。方永心想自己小時候也有過這樣的經驗。

「好大的勁啊！」方永右手捧住那小型球，左手叉著腰，邊說邊瞪著眼，有意把他們嚇唬一下。「好『波』？」他哼了一聲，「誰踢的？」

孩子們你望我、我望你。但誰也不肯認「我」。他們不知道方永是什麼人，是什麼路數。

「我們是說你好波！」其中一個孩子嚷道。

「是呀。你是個好龍門！」

「噯？真的？……」方永怎樣也忍不住笑了。

孩子們見方永笑起來，剛才緊繃著的天真的臉上，便一下有了笑容。比陽光更燦爛的笑容。

「那麼，我該把球還給誰哪？」方永做了個要把球踢給隊友的姿勢。

「他！」

「是我踢的！」剛才說方永「是個好龍門」那孩子挺身而出。

「來吧——看球！」方永興沖沖的喊道。

他左腳站穩，右腳一提，用鞋尖輕輕一挑，皮球就向那孩子的身上慢慢的落下。

那孩子將身一縱；晃了晃身，頂了一個頭球。

「好波！好波！……」

又是孩子們的響聲。他記起在吉隆坡的童年，街上，和孩子們的響聲。

他們就是這樣單純。一個皮球，有時候，就是他們的一個快樂的世界。這些自個兒覺得快樂，叫人家看見又覺得可愛的小傢伙！我真願意做他們中間的一個！方永想。

在孩子們的歡呼聲中，他穿過這條街，踏著輕快的腳步，走向另一條街去。

就是這樣的一條橫街。在巴西礦山裡宿舍中，它常常在他的腦子裡閃過，在他的夢裡閃過。現在，一切都不是夢。他踏著的是實地。他身穿的是那套新的甲巴甸。不是夢。他搖著雙手，走著。他回來了。一切都是真實的。

就是這條橫街。那樓高只有三層的舊屋宇，此在漸向西移的淡黃色的陽光下，期待著他的再來似的，靜靜地站列在那兒。

他瞥了它一眼，熟悉的窗戶，熟悉的樓梯口。他感到他的心在起勁地跳著，跳著。

方永在街角的一個香煙攤子前停下來。

「『鴨都拿』。大包的。」說著他往香煙攤子上放下了一塊錢。

賣香煙的是個老婦人。她把香煙遞給他的當兒，瞧著瞧著他，楞了好半天，忽然叫起來：

「先生！」她一直不知道他的姓名，「是你？好多日子沒見過你啦……」

五年了！方永想。「你還認得我嗎？」他笑了笑。

「怎麼不認得？」老婦人說，「你以前常常幫襯我！」

方永向她點了點頭。他不止常常幫襯她；以前在失業的一段日子裡，他常常站在這兒跟這婦人聊天，為的是等吳瑛下樓來一道上街去。那時候他著實有點怕看吳瑛母親那瞇縫著眼盯人的習慣；還有她那勢利的眼光。

「生意好嗎？」方永問道。

「哎，不曉得熟客都搬到別的地方去了呢，還是他們都戒了煙，」老婦人嘟噥著，「生意越來越不成啦……」

方永嘴裡叼著支香煙。劃了根火柴後，他突然又從袋裡掏出五毫子來，說要再買包小的「鴨都拿」。

他拾級上到三樓，在一家門前停下來的時候，他後悔自己幹嗎不帶點吃的、穿的什麼來。吳瑛倒沒有問題，問題是她的母親。但他又想：我跟吳瑛一道上街去，然後託吳瑛補帶點「見面禮」給她母親不就可以了嗎？

按著門鈴，他的手有點發抖。吳瑛會不會……

他來不及想下去，門上的小窗開了。他說找吳小姐。

「這兒沒有吳小姐！」

方永知道自己沒有記錯門牌號數，也不會摸錯。

「這兒是六號，可是？」

「是六號。但沒有吳小姐。」

「有。吳小姐。我以前……」

「吳小姐？等一等！」另一個女人的聲音，「你是找吳瑛嗎？」

「是呀。」方永覺得那女人的聲音很熟，「你是……黃太太嗎？請你開開門。我是吳瑛的朋友，姓方的。」

門開了，那個叫做黃太太的，四十五歲左右，是這屋子的二房東。她向方永上下一打量，然後哂笑著說：

「方先生，真是你啊。我剛才聽到你的聲音，一下子就猜到是熟人！請進來，請進來……」

方永進了屋子。黃太太招呼他在客廳坐下。

「方先生，怎麼好幾年沒看見你？」

「我到外洋去來。」方永說。

「對了，對了。她們說過的。有一回我問起吳瑛，她說你去了外洋。」

「黃太太——」

方永正待要問她什麼，但這時女傭人卻端了杯茶來。

「一定發了不少財回來啦？」黃太太臉上的肥肉動了動。那兩道疏落的眉毛也似乎跳了幾跳。她直瞧著方永。

「哪裡，哪裡。」方永把茶杯往小几上一擱。

「你太『自謙』了。呃——」她突然嘆了口氣，「唉！我們這一輩子大概沒機會到外洋去囉。」

「黃太太，吳瑛呢？」方永實在忍不住了，「她上街去了？」

搖了一下頭，回答的是：「她早就搬走了。」

「啊？幾時搬走的？你知道她搬到什麼地方去？」

「有五個多月了吧。搬到什麼地方我可不清楚。不過——」她用手背輕輕的敲了敲她的腦門子，「讓我想想……對了！我那時候聽吳瑛她母親說過，吳瑛是打算跟一個南洋的華僑結婚的。那華僑，聽說在那邊開了幾家什麼莊口的呢……」

方永那雙明亮的眼睛，驀然掠過一片陰影。黃太太的話說得慢吞吞。她越說得慢吞吞，方永的心就越覺得不好過，他做夢也想不到，他萬里歸來，要找的一個人卻跟別人……

他一聲不吭，起勁地吸了幾口煙。

他和吳瑛之間的關係，這黃太太是不大了了的。她只知道方永以前是吳瑛的同事。就是朋友，也是普通朋友。高興嘛，就來它一趟；不高興嘛（說不定人家真是有事在身），一年半載也可以不露一次面。現在，大概因為方永五年才來這麼一趟吧，她越發證實自己的想法對。她嘰哩咕嚕在跟方永說了些什麼。一會兒她問外洋那邊天氣如何；一會兒她說到這兒的住客，然後房間。但方永似乎一句話也沒聽進耳裡，他怔怔的在想什麼，突然打斷黃太太的話：

「這麼說，吳小姐現在可能跟她母親一起在南洋……」

「這，一點也不奇怪。可能的。」黃太太說，「生活哪裡不一樣？你說是不是？是啊。俗語說嘛，嫁雞隨雞，嫁狗隨狗。何況現在『隨』了個有錢佬。人家在那邊有大生意。那華僑嘛，在那邊……」

方永顯然感到不耐煩了：他皺了皺眉頭站起來。

「怎麼？方先生，你走啦？」黃太太說著也站起身，「在這兒吃頓便飯吧？」

「不。謝謝你。我還有別的事。」

「有事我不敢耽擱你。沒事情嘛，就——」

「對不起。」方永說，「我打攪你好半天了。」

「沒有沒有……」

門開了，又關上。砰！那重甸甸的聲音，在空氣裡凝結為一片冷冰冰的什麼壓在方永的心頭上。

方永茫然地望著他面前的路——寂寞的橫街，在他看來突然變得那樣子陌生。

他悄悄的走進附近一家叫做米奇的小餐室，在卡位上坐下來，叫了一份「常餐」。

這是五年前他常常幫襯的一家小餐室。那時跟他一道來吃飯或者喝茶的往往並非別人，是吳瑛。而吳瑛此後大概永遠不會再到這兒來了。他沉思著，朝四下裡望了一下。

還是同一的櫃枱。但櫃枱後面那個掌櫃已經換了人。一個完全陌生的臉孔。四壁依然，只是多了一幅叫方永看不懂的什麼派油畫。它跟那古老的魚尾大鐘平行的掛在一起，使人產生一種突兀的感覺。

魚尾鐘上的長短針這時剛好垂直——噹噹的敲起來。但還沒有響到第六下，鐘聲就給另一種瘋狂的比廚房裡砸破大堆碟子更叫人難受的什麼 rock rock rock 的噪音掩沒了。

方永這才注意到餐室的角落裡添了一具笨重的紅紅綠綠的「點唱機」。這玩意兒是這餐室以前所沒有的，他想。

肚子很餓，他現在才覺得。除了下午那碗雲吞，他一整天沒吃過什麼哩。

吃完了飯，企堂端來一杯咖啡。那也是一個完全陌生的臉孔，這餐室裡的人似乎都換了。

「你們的老闆是不是姓何的——廣東人？」

「不。現在米奇的老闆是姓李的。福建人。」

他這一次再來的時候，一切都改變了，他想。他想起在巴西礦山裡的艱苦日子。五年的合同，五年悠長的歲月。最艱苦的日子他都熬過。他一定能夠熬過的，因為吳瑛常常在他心中。

吳瑛最後寄給他那封信還這樣對他說的呀：「我常常想起你。」那才是半年前的事。那以後，他再沒有收到吳瑛的片言隻字了。

為什麼她那樣忍心？……

方永一邊想著一邊喝著咖啡。杯子裡還沒有下糖，但他一點也不知道那咖啡究竟是什麼味兒。

餐室的門給推開。

一個年青的小姐飄然地走進來。

方永的心驀然一跳。連雙腳也差點跳起來。他以為那是吳瑛，五年來他日夕想念著的人。但定睛看時，他發現自個兒認錯了人。是的，是完完全全另外的一個人。只不過那姑娘跟吳瑛年齡相近、有著差不多的高度和身材罷了。特別是那頭長長的秀髮，跟吳瑛同樣可愛、迷人。

他感到一陣悵惘而又空虛。但他仍然茫然地盯著它，那頭秀髮，那礦山裡的夜晚，茅棚，和那黑夜裡的海。他想起了船。又想起了巴西礦山裡火辣辣的太陽。更想起五年前他向吳瑛告別的那個晚上，尖沙咀碼頭上的祝福，吳瑛的眼淚。現在輪到他了——他真想哭一場。但他不能夠。他此刻不是坐在家裡。在香港他哪兒有家呀？他想。

這兒是餐室。擺動著愉快的臉孔、憂鬱的臉孔、各種各樣臉孔的餐室。茶客似乎越來越多了。他聽見那比砸破碟子更尖更亂的什麼「撐泠撐泠」的聲音又響起來了。

付了錢給企堂，方永煩躁地挪動著腳步。

那有著一頭長長的秀髮的小姐，在悄悄的喝著茶。她獨自一人。她剛才不明白方永幹嗎老是盯著她。現在眼看著方永向她這邊走來，她不期然地望了他一眼，但隨即低下了頭。

方永必須經過她的卡位，因為她的卡位是挨近門邊的。方永走過她的身邊時，似乎覺得有種什麼力量在推動著自己——他禁不住又瞧了瞧她。

而她呢，她這時候正抬起了頭。

二人的視線接觸了。方永心裡一沉——

那是一雙憂鬱、寂寞的眼睛！

方永打米奇餐室走出來，給一種莫名其妙的複雜的感情佔有著。他真願意回頭看看那姑娘，看看那雙憂鬱、寂寞的眼睛。他想，能夠跟她在一起，大概是宗好事吧？為什麼會是宗好事呢？他說不出。

他磨磨蹭蹭的走到一家電影院的門口。他看看腕錶。這時離開場的時間還有整個鐘頭。但買票的人川流不息——觀眾對這場電影好像很感興趣似的；一定是一場好戲吧？吳瑛已經遠去南洋結婚了。吳瑛這一輩子不可能跟他在一起的了。錢要來做什麼？方永想著，破例買了一張超等的「七點半」場票子。

他信步走在彌敦道上。在一條橫街的街口那兒，他突然楞住了。

他看見的正是剛才那個姑娘！

在一個賣生果的小攤子前，她在動手揀橙子。只見那賣生果的把她手裡揀好的幾個橙子放進紙袋去，之後，她付了錢，就匆匆的走了。

方永戀戀不捨地站在那兒望著她的背影。

那頭微晃著的黑髮，那襲深棕色的旗袍，那雙黑色的平底鞋，很快地就沒入街上抹角處的暮色中。

暮色越來越蒼茫，路燈開始亮了。但此刻壓在他心上的是一片九龍暮色的蒼茫；離開他的視線的是九龍街上的燈光。

方永這會兒好像什麼也看不見哪。

不。他是看見的呀！——那萬里外，里約熱內盧這世界名城的燈光。他記起那些候船的晚上，那些使人感到焦灼、但又叫人覺得快樂的晚上。暮色中，巴西首都里約熱內盧的千燈萬火，像千萬朵吳瑛的光彩的微笑，燃燒著摩天大廈上的半空，也燃燒著他的心。他穿著那另一件有花色的夏威夷短袖衫，心裡唸叨著吳瑛那句「我常常想起你」的動人的話，像低聲哼著世界上最甜蜜的一隻曲子，走在里約熱內盧的熱鬧的夜市上。而那些在山芭裡一起捱了五年的夥伴呢，一旦來到這熱鬧非凡的大城市，少不免第一就想到喝酒，第二就想到找女人；在候船的期間中，往往聯群結隊東闖西撞地在街上打轉；深夜回到三等旅館中，往往把他方永吵醒。

或者，門給敲開，一個喝得醉醺醺的同事無緣無故的把他擁抱住：「喂，方永，你叫什麼名字哇？」

「方永，你真是一個聖人！不喝酒，不找女人……」他們說著的時候，總是那樣哈哈大笑。

遊子的心是寂寞而又苦澀的，方永知道。但當遊子的心有一份幸福的期待時，五年的山芭日子可以過去，這段使人焦灼的候船的日子就更加算不得什麼了。他記起下船的那個晚上，里約熱內盧的人頭擠擁的碼頭上，他方永沒有一個送行人。但那又有什麼關係呢？里約熱內盧半空上的吳瑛的千萬朵光彩的微笑，在向他亮著，亮著：

「方永，你這一下，真的快樂了。」

那以後，碼頭上的人聲去遠了。馬達聲響。船在海上。月亮照著他回來——那是他和吳瑛的幸福的月亮。星星照著他回來——那是他和吳瑛的幸福的星星。可是呀，沉思默想的方永，他底明亮如舊的眼睛，這時卻有一種寂寞的幽光在那裡面浮泛著，似寒夜裡寂寞的星光——而這時正是九龍街上夜市熱鬧的時辰哪。

他抹了抹眼睛走進已經開了場的電影院裡。

電影院裡「滿座」！但黑暗中，方永好像覺得偌大的世界只他孤零零一人。上映的是一部喜劇，但對於方永卻是一部乏味的喜劇。觀眾們時時發出轟然的笑聲。而那笑聲一下一下的向他心上襲來——要擠出他心裡的哭泣來似的。

九點半散場。他走出電影院。街上行人絡繹不絕，但他覺得自己只是從一個荒涼的世界走到另一個荒涼的世界去。他的心是那樣荒涼啊。

渡船上，初秋的夜風微帶寒意，向方永的身上吹來。望望自個兒身上那套甲巴甸，他嘆了口氣。又有什麼用？吳瑛連看也沒看到它！「不要等明天了！……我看還是馬上去找鄭康平吧！」他想。

走出碼頭，搭上一輛電車，他腦子裡突然劃過那筆鄭康平替他存放在銀行裡的款子的數目字……

鄭康平是方永的父親生前的一個摯友。他比方永的父親年輕十多年。七年前，方永從吉隆坡跑到香港來；鄭康平介紹他進了一家洋行做會計工作。

不上一年，那家洋行因生意不前關了門。方永失業了。吳瑛是他在洋行裡工作時認識的。他們是同事，很快地就成為愛人。五年前，有人在此地僱人到巴西去開礦。除工人、技術人員外，僱主也需要「文員」。方永聽到這消息，幾經考慮後，就報了名。那時在長期失業的日子中，他悶得發慌，況且生活又是個非常實際的問題。沒有職業，香港地實在是不能耽下去的了。吳瑛那時曾經向他表示過，永遠等待。五年，五年很快的就會過去；再來的時候就將是一個回來而且長居下來的時候；吳瑛將會是他永遠的人生伴侶，他當時如此想。在礦山裡，人們工餘之暇賭錢的賭錢，喝酒的喝酒；但他方永把錢一個個的積蓄下來。他當時信任吳瑛，但畢竟還是不大信任吳瑛的母親，於是，他先後把錢匯到香港來，託鄭康平替他在銀行裡開個儲蓄帳戶。他每月的薪水約港幣七百塊錢；來往船費是公司付的；但那邊（礦山裡）的伙食費啦、洗衫錢啦、其它雜用啦相當貴；加起來就去了他的薪水的一半；儘管這樣，方永在節衣縮食的情形下，還是先後一共匯了一萬多塊錢（港幣）給鄭康平。有了錢，方永當時想，他就有了幸福的遠景。他打算一回來，就跟吳瑛結婚。這樣他就有個真正的家！有了錢，方永想，他就有權利向吳瑛的母親提出自己的要求來哪。

「礦山裡，我不賭錢，不喝酒，為的是什麼啊？——現在，我倒真想喝它一杯！」

他本來打算明天才到鄭康平家裡去的。但這陣子他實在想把那肚子的不舒服向老鄭吐個痛快。就跟他一道出來吃宵夜，喝個醉吧。嗯，說不定老鄭曉得吳瑛在南洋哪一個地方呢；可是，唔，又有什麼用！千山萬水，你追過去；人家在那邊已經結了婚哪！

方永尋思著，抽了口煙。電車經過樂聲戲院之後，一抬頭，他嚇了一跳，問售票員；售票員對他説道：

「這兒從前就是避風塘。現在是——維多利亞公園！」

維多利亞公園裡的深橙色的燈光向他閃著冷眼。他身子哆嗦了一下。電車又過了「電油亭」了。

方永下了車。他想起了老鄭的兩個孩子和「大嫂」（鄭康平的太太），便跑進一家士多店去買了兩大盒朱古力作為到鄭家去的「手信」。

「今晚上是星期六晚；老鄭明天不用上班。我可以跟他談個通宵……」

他穿過清風街，約莫十點半鐘左右，到了「街市」的附近。

熱鬧了一整天的「街市」這時顯得冷清清。路燈下一片慘綠。有單調的「魚生粥」、「雲吞麵」的叫賣聲。不遠處有一家尚未「上舖」的小酒家以它的電光管招牌顯示它的存在。方永心想，等會兒同老鄭到那家小酒家去！假如「大嫂」還沒睡，也叫「大嫂」一塊兒出來。不，「大嫂」在一起不方便，我要跟老鄭談談吳瑛……

老鄭的住處，就快到哪！那是一幢舊式的四層樓。老鄭住的就是頂樓。他方永以前也在它裡面住過的呀。

他憋住了氣。突然，他停下來。他不相信自己的眼睛。這不就是鄭康平的住處嗎？可不是！但那竹架呀，木欄呀、紅燈呀……究竟是什麼一回事？這幢一共八個門牌號碼的樓房，看情形，住客們全都搬走了，這究竟又是怎樣一回事？

這幢四層樓是早已給一堵建築公司的無情的木欄圍起來了。

在那盞暗示著「危險」的大紅燈前，方永瞧著木牌上「XX建築公司承辦……」那幾個大字，心裡就登時冷了半截。

那兩大盒朱古力在他抖著的手裡晃了晃。回過頭，他只覺得在遠處發著綠光的路燈，像夜螢一樣，在他的眼前飄呀飄的。

第二章

星期日這天，由於寫字樓的關門休息，大廈林立的銀行區，往往一反常態，變成名副其實的本地人所謂的「寂靜地帶」了；但在德輔道中的另一帶呢，商店櫛比鱗次，特別在下午，幾家有名的百貨公司照常營業，因此男男女女熙來攘往，看來比平時更顯得熱鬧。

然而，就在這樣的熱鬧的面前，方永越發覺得自己孤零零了。

昨晚上回到旅館後，躺在床上，他思前想後，想得太多了。差點挨到天亮才闔上眼皮。

這時是下午三點鐘；方永剛吃完他的「早」飯，打一家小館子跑出來，手裡拿著一份報紙；他在德輔道中行人路上，躊躇了好半天。鄭康平一家不知道搬到哪兒去？那麼，現在，他該到什麼地方去呢？他知道今天無論如何找不到鄭康平的了，因為老鄭任職的那一家公司照例停止辦公。

他想起了昨天跟自己坐電船仔一同「埋街」的老張。

老張是個做木師傅。在巴西礦山裡，什麼人才都有，燒焊的啦、剪髮的啦……都是為謀生計，遠渡重洋給「招」過去的。但方永在那邊一來因為自己多半時間是在枱前做算帳、打理文書之類的工作，二來因為夥記不少，認識的不齊全，所以就很少跟老張談過什麼；直到在英國轉船之後，三等客艙裡，老張恰巧跟他是鄰床，這樣才談起來；船快到香港了，二人更談得起勁。

就這樣，在船上，老張抄了自己西環的地址給方永。

「老鄭那裡，挨過今天再說吧！我現在還是找老張去！」

方永跳上了一輛往「堅尼地城」的電車。

二十分鐘後，他找到了旗昌街XX號樓下。

老張一家五口，佔的是那樓下的一個中間房和冷巷的一鋪碌架床。

大門，除了睡眠時間，似乎一天到晚都是開著的。方永一踏進屋子，就聽到一陣咿咿呀呀的唱歌聲。

那個坐在冷巷裡矮凳子上拿著本曲本在唱粵曲的青年男子，大概是老張的同居吧？「請問——張有成在家嗎？」方永問道。

「老張！有人搵你！」那青年男子喊完，向方永笑了笑，又低聲唱起來。

矮胖個子的老張從房間裡跑出，一看是方永，高興到不得了。

「啊，方先生，真想不到是你！」說著，他把一張椅子挪到方永身邊。

方永看見老張身上穿得很整齊，一件長袖的薄絨夏威夷衫，一條咖啡色的什麼絨褲——

「老張，你是不是準備到外邊去？」

「嗯——」老張笑了笑，「我正打算去探一個親戚。就是孩子們的阿姨嘛……」

他解釋：這個阿姨就是他老婆的親姐姐。

「那麼我改天再來吧。」方永知情識趣地說。

老張連忙擺了擺手：

「不不不，別忙呀。等下我們一塊兒出去找個地方談談。還有，你今天晚上無論如何在這兒吃飯！」

「我想——」

老張沒等方永說完，就跑進房間裡，一會兒同一個三十八九歲左右的瘦小的女人出來。

「這是我的女人。」老張說著回頭對他老婆說道：「這就是我們礦山裡的那位

『先生』——方先生！」（按：這兒的『先生』有『當文職的』之意。）

「方先生今天晚上在這兒用頓便飯哦，一定啊？」她說。

方永本來想推辭的，但見夫婦倆盛意拳拳，便只好答應了。他知道老張一共有三個兒女，便問了一聲：「孩子們都到哪兒去啦？」

「看電影。今天是禮拜天嘛。」老張的眼睛笑得瞇成一條縫。

走出旗昌街，他帶方永到一家咖啡店去。老張像方永一樣，在巴西待了幾年，不知怎的，卻愛上喝咖啡了。

在店裡坐下來，叫了兩杯咖啡後，老張問方永現在是不是住在朋友家裡。

「不。住在旅館……」接著，方永把昨天晚上的遭遇告訴他，「唉，我那姓鄭的朋友……」

老張聽後，皺了皺眉頭道：「是啊。昨天我一回到家裡就聽我女人說，現在香港的『拆遷』很流行！真是！不曉得什麼時候輪到我們哩……」

跑到櫃枱付帳的時候，老張「出手」可出得真快——他把方永那隻捏著一元鈔票的手一推，說：

「方先生你別客氣！」

到了一個巴士站，方永停下來，說道：

「老張，我看到八點鐘才能趕到你家去呢。」

「不遲，不遲。」

一輛五號巴士開來，二人跳了上去。

老張在歷山大廈面前那一站下車。

「一定來呀！」他向方永揮揮手，「你來了我們才開飯！」

方永望著站在行人路上的老張點頭笑了笑。

巴士到了銅鑼灣，方永下車趕到加路連山去。

原來今天加路連山球場，五時半有一場雙方勢均力敵的「聯賽」足球，方永小孩子時很喜歡踢足球，長大後曾經一度是個球迷；下午在中環館子裡吃飯的時候，打開報紙的體育版，「今日加山有戰事」，他便已經決定五點半這個時候的去處了。

九十分鐘的球賽散場後，方永夾在人叢中，看見一個穿著綠色外套的小姐，他心裡一震——

嗯，那是吳瑛？

可是，當方永加速腳步，走在那個穿著綠色外套的小姐的前頭，回頭瞥了她一眼的時候，他知道自個兒又一次神經過敏了。

他苦笑了一下——

唔，除非那二房東黃太太昨天向我撒的是謊，我是怎樣也不會在香港再碰到吳瑛的了。咳，那黃太太跟我無冤又無仇，人家幹嗎要向我撒這樣的謊呢？真是！方永想呀想的，突然又想到鄭康平……

「拆遷」！真豈有此理的「拆遷」！要是他把我那一萬——唔，總有一萬八千塊錢吧——「拆」去了，那才……不會的！方永又在安慰自己。

方永記起那兩盒現在還躺在旅館房間枱上的朱古力——就把它拿去送給老張的孩子們好了！

但沿著保良局那條擠擁著成百成千散場觀眾的路，走到巴士站時，他改變主意了：你要用打架的勁兒才能打上巴士去，插到個位置；既然好容易才插到個位置呀，你就不想半途下車啦，是不是？

方永趕到老張的家裡，手捧著兩盒餅乾，那是他下車後在旗昌街附近的一家店子裡買來的。

才進了屋子，他就看見一個小腦袋在中間房的門帘下晃了幾晃：

「爹！來了！來了！」那小腦袋陡的又縮進去。

老張揭開房帘跑出冷巷來。

「要你們等，真不好意思，」方永說，「搭車子真不容易。」

「哪裡，哪裡。我們菜還沒弄好呢——搭車子是難呀。我看過一回足球，一次，我就不敢去啦。今天——球好看嗎？」

「還不錯。」

老張招呼方永進了房間。

是一間板房。一張木床外，所剩的地方，就只能擺上一張桌子和幾隻凳子。凳子是矮圓的。桌子也是矮圓的，一開一收很方便，那是做木師傅自己的傑作。

挨牆的角落放著兩張已經收起來的「童用」帆布床。

那張矮圓桌上，有兩瓶什麼酒和兩隻厚身玻璃杯。方永在矮凳子上坐下來。

老張遞給他一枝香煙。

方永劃火柴搶著替自己又同時替老張點上煙捲。他抽了一口煙，瞧著坐床角一聲不響的那個小孩，問老張：「這是你的——」

「是我最小的一個。叫小明。」老張把脖子一扭，「小明，你叫過方先生沒有？」

「方先生！」

「嗯！我差點忘了。」方永把懷裡的兩盒餅乾遞到床邊去，「這是你的！」

小明，那個剛才探頭出去望著方永來的小孩，今年才七歲。他好像很懂事似的。望著爸爸，他沒敢接方永那兩盒餅乾。

「就謝謝方先生吧！」老張笑了笑說。

「謝謝……方先生！」小明向方永露出兩排潔白的小牙齒笑了。

「老張，你的孩子真乖。怪不得你……」

「窮人家的孩子嘛，總得聽話。」老張回過頭來，「小明，到廚房裡叫媽開飯吧。對媽說，方先生來了。」

小明應了一聲「是」，把兩盒餅乾往枕頭邊一擱，就下床拖著對小木屐踢踢躂躂的跑出去了。

「還有兩個的呀？」方永說。

老張一楞。「哦——你是說他的哥哥和姐姐？」

「嗯。」

「在廚房裡幫手。」老張說著開了一瓶酒，「來，我們先喝一杯！別怕呀，這是啤酒！」

在那隻看來顯然是今天才換上的嶄新的燈泡下，玻璃杯亮亮的閃著惑人的光芒。方永盯著它，想了想，說道：

「好，老張！我先謝謝你！來吧……」

老張替他斟了滿滿的一杯，大家喝了一口後，老張問道：「方先生，你以前有個女朋友姓吳的，是不是？」

方永臉上那兩道濃黑的眉毛一揚。他錯愕地瞧著老張，心想自己從來沒跟對方提過吳瑛的呀。

「老張，你，你怎麼曉得呢？……」方永結結巴巴的說。臉突然紅了。

「來吧。再喝一口，我告訴你！」老張自己先舉起杯子。

方永把酒杯往唇邊一壓，直瞅著老張。明亮的眼睛閃了閃，彷彿顯得格外的明亮——難道老張知道她的下落？那麼……吳瑛不是在南洋了？「說呀！」他催促道。

「我的大姨，就是我下午去探訪的那個，她告訴我。」老張舐了舐嘴唇，又呷了一口。

「怎麼？」方永驀然想起什麼來了，「你下午過海……那二房東黃太太就是你老婆的姐姐？」

老張點頭。「可不是！我也沒想到的呀。原來你昨天——」

「嗯。我昨天——」

「她說你人很不錯。」

方永悶著腦殼想什麼。「誰說？」他突然問道。

「我的大姨。本來今天晚上打算叫她過來吃飯的。可是她說有事，抽不出身。她是個寡婦，丈夫死了好幾年咯，但她很有本領，兒子供書教學，全靠她那一點子賺錢的本領。做二房東，那點子錢夠得上什麼！她還做樓房經紀哩。今晚上她剛約好了人在外邊斟生意——她問我今晚上家裡請的什麼人，我告訴了她，一個姓方的『先生』……」老張說著又一骨碌的喝了一口酒。

方永點上了一枝煙。噴了兩口。「那麼……她跟你說，我到她那兒找吳小姐，是不是？」

「是呀。」老張從桌上的煙包裡摸出了一枝，和方永對了對火。

「她沒有說別的什麼嗎？譬如說吳瑛——」

「叫做吳瑛嗎？」

「嗯。」方永啜了一口那黃橙橙的液體。

「沒說什麼呀。她只說那吳小姐早就搬走。好像跟她母親一塊去了南洋；好像說……」老張吞吐地說著，吸了一口煙，突然停下來。他顯然是不大願意說下去。

「說她跟一個有錢的南洋華僑結婚，是不是？」

「是。」老張只好回答了。

那麼，那黃太太並沒有騙我啊。方永想。

這時候，張大嬸端著兩碟菜跨進來。小明站在門限處，幫母親揭開房帘。跟在張大嬸後邊的，是小明的哥哥和姐姐。哥哥剪著平頭裝，是一個十一二歲、樣子長得挺硬朗的孩子；姐姐呢，看來挺多八九歲，一頭短髮覆著一個有趣的圓臉。兩人跑進來的時候，手裡各捧著碗呀、筷子呀、銻煲呀等等。

老張告訴方永，「哥哥」叫做大明，「姐姐」叫做玉明。

張大嬸把那兩碟菜往桌上一擱，跟方永招呼過後，轉身又同大明回到廚房去了。

菜是一碟白切雞、一碟自製的滷墨魚。老張盯了一眼，揉了揉手，說道：「方先生，起筷吧！先吃點這個送酒……」

半晌，大明又兩手捧著一個托盤進來。托盤上有幾碟魚呀肉呀的什麼。玉明打什麼地方再弄來幾隻圓矮的凳子，往床邊放下。

方永吃了一塊滷墨魚，放下筷子，正待要喝口啤酒的時候，突然一怔。

「怎麼，老張，你的孩子們不跟我們一塊兒吃嗎？」

「他們在那邊成啦！」老張說。

原來大明、玉明、小明三個另有一「桌」。他們把托盤當做桌子放在床上，坐在床邊的凳子上動起筷子來。

「方先生，我們在這邊很好！」那圓臉的玉明伶俐地說。

「是很好呀。」大明和小明也附和著。

老張向方永眨了眨眼。

張大嬸揭開房帘進來。在老張身邊坐下。

此刻矮圓的桌子上早已多添了兩道菜。老張勸方永多喝點啤酒，張大嬸卻請方永多夾幾箸雞肉。

她瞅了老張一眼。「這怎麼成呢？只叫人家喝酒不吃菜！」

孩子們在咕噥著什麼，突然笑起來。張大嬸旋過臉去——

「什麼這樣好笑？」

大明把嘴唇湊到他妹妹耳邊，低聲說了幾句什麼。那玉明把小嘴一張，簡直在噴飯了。

「你怎麼啦，玉明？」張大嬸放下筷子。

「媽！是哥哥不好！他在說那『大隻佬』同肥雞……」她笑得把身子彎下來，怎麼也說不下去了。

那小弟弟小明瞧了他母親一眼，自告奮勇，「媽，我告訴你。」他用手指了指大明，「是哥說開的——那『大隻佬』要劏——嘻嘻——哈哈……」他笑得那小肚子在呼嚕呼嚕的直響——他比他的姐姐更不濟事了。

方永有點摸不著頭腦，他瞧著老張。

「他們好久沒看過電影啦。」老張說，「剛才他們大概談起今天下午那套差利的——」他高聲問道：「叫什麼電影哇，大明？」

「差利——《尋金熱》！」大明答道。他拚命的咬嘴唇皮。

「哦！……」方永在想什麼。

差利的《尋金熱》，方永從前也看過的。片中有這樣的一場戲：雪山上小房子裡，餓得眼睛發昏的「大隻佬」把差利看成一隻五尺的大肥雞，他要把差利當肥雞「劏」，害得差利拚命擺手，逃來逃去……方永記起這些個時，也忍不住咯咯的笑起來了。

「媽，你瞧！」小明嚷道，「人家方先生也在笑呢！」

「你們吃飯吧。」張大嬸厲了大明一眼，「別又在逗玉明笑啦！」

這頓飯吃得很開心。方永覺得今晚上胃口特別好。

老張跟方永談起巴西礦山裡的人事，也問起方永吉隆坡家裡人的情形。方永說，那一年，由於錫膠跌價，他父親的生意一敗塗地，就抑鬱成疾死了。

「本來我以前也有一個妹妹的，可是……」

「那麼，方先生，」張大嬸插嘴道，「你現在還有什麼親人在那邊呢？」

「就只有堂兄和堂嫂了。」方永答道。

「他們生活過得怎麼樣呀？」張大嬸問道。

「還馬馬虎虎。不過我有一年多沒——哎，我這人就是懶寫信！」

老張驀然想起了一件事。他問方永打算不打算回吉隆坡。

「將來再說吧。我現在還沒有決定……」

「如果你要在香港待下來，住旅館不是辦法。我大姨那裡不是有一個房間空著的嗎？這，你也知道的……」

「我也知道？」方永詫異地說。

「是呀，」老張說，「那房間，昨天我大姨不是跟你說過的嗎？」

「什麼房間？」方永還是不明白。

「吳小姐搬走後，留下的那個空房間啊。」

一點不錯。昨天黃太太是跟他提起過什麼住客、房間的，只是他方永當時除了吳瑛、搬走、南洋、有錢的華僑、結婚呀這些個外，什麼也沒裝進耳裡。

「嗯，」方永盯著飯碗出神。想了想，他說：「黃太太好像是說過……可是，」他瞅著老張，「我不明白為什麼房間會留到現在。」

「我大姨說，沒有合意的住客嘛。看房間的人倒來過不少，可是她左挑右挑，一個也沒挑中。孩子多的，她怕吵鬧。單身漢，她又怕靠不住。」

「我也是一個單身漢呀。」方永把空飯碗往桌上一擱。

張大嬸趨前，說：「方先生，再添一碗吧。」

方永用手掌往胸膛上一壓：「嘔，我飽到這兒來啦。」

「可是我大姨說你會靠得往。」老張也放下了筷子。

「會？也許我不『會』……」方永咧開嘴笑。

「喝茶，方先生。」張大嬸把一杯茶放在方永的面前。

「謝謝。」方永還是直瞧著老張。

「她對你放心，所以就打算租給你。」

方永抽著煙不作聲。他想起昨天自己對黃太太的態度有些地方好像不大對。人家一片好心，你就看不到人家的好心腸，只聽到人家的囉嗦，老人家嘛多半是那樣的咯。他以抱歉的眼光望著老張，像望著那二房東黃太太。

他聽見老張說了這麼一句——

「她說，她跟你談了好半天，但你沒搭沒訕的。」

方永想：是呀。但這又有什麼辦法！你有一個女朋友。而且不止是女朋友。是你的愛人。你離開她五年。她說她會等你五年。你回到這個地方來了。你不一定要回到這個地方來。為了她，你回來了，但她卻走得遠遠。如果你是我，你會不會像我一樣失魂落魄？你也許不會。你是個硬漢子。可是我——我有什麼辦法呢？

他的眼神突然充滿淒涼的意味。單純的老張不明白這位方先生為什麼把臉一沉，不哼不響。他心想自己一定說錯了什麼啦。他把這個對方永說出來。

「哎！老張，沒有！我只是想……」方永驀然又開朗起來：那潔白的牙齒彷彿連那黝黑的皮膚也給照白了。「呃！真的，我很多謝你們！」他激動地說，「你們……真好！如果我一決定在香港待下來，我就請你『介紹』我到你大姨那兒要了那個房間，怎麼樣？價錢不太貴吧？」

老張和張大嬸都笑了。

幫母親收拾碗筷的大明這時瞪著眼瞧瞧方永又瞧瞧他的爸媽；突然向坐在床邊矮凳子上的小明和玉明眏眏眼睛，扮了個鬼臉。玉明跟小明說了句什麼，小明嗤的一聲又笑起來。因為從「大人」們口中那個空著的「房間」，小明這時又想起雪山上的房間、差利・卓別林、「大隻佬」和肥雞了……

深夜十一點多鐘，方永離開張家回到旅館。

第二天，他一早就起來，搖了個電話到XX貿易公司去。那邊電話響了好半天，沒有人接。

「如果鄭康平……」方永的心情突然緊張起來。

手緊緊的握著話筒。方永心想：難道是電話號碼錯了？他掛上了電話。

電話機就設在樓梯口櫃面那兒。方永在櫃枱旁的一張梳化上坐下來，拿著電話簿再翻了一次。

一點也沒錯，就是這個電話號碼。那麼一定是他剛才記錯了，打錯了。

他想著掏出墨水筆來，把電話簿上那幾個數目字一筆一筆的抄在他自個兒的小簿子上。他剛才已經抄過一回的哪！

方永再打一次——他感到失望，還是沒有人應。

可是，待要掛上電話的時候，那邊卻有人接了——

「喂！喂……他們還沒有上班咧！……」

方永這才省悟：從前他在工作的那家洋行，同事們因為怕丟掉飯碗，多半在八點半左右就回到自己的寫字樓；但人家不是這樣。現在時間還早點呢。剛才那接電話的，大概是做寫字樓清潔工作的雜役吧？

好容易才捱到九點鐘，他的手往電話機上一放，但又馬上縮回來——假如鄭康平昨天晚上睡得晚，今天起得遲，誤了班呢？

他不想有第二次的失望，就耐心點再等十分鐘吧！他趔趔趄趄走進他的房間。坐在床上，他乾抽著煙。幾分鐘過去了。

他在房間裡來回地踱著。突然，他瞧著地上那隻發黃的皮箱發了一陣楞。這皮箱是五年前他從香港帶去巴西的，現在他又把它帶回到香港來了。

方永蹲身把皮箱打開，翻呀翻的，從裡面找出一張女人的照片——那是吳瑛的照片。她的微笑，現在照他看來，簡直是揶揄、譏諷的笑了。

他真想把它撕掉。可是很快地，方永又把那照片往皮箱裡一塞，輕輕的嘆了口氣。

九點十分了。方永跑出房間打他第三次的電話。

這回，聽口氣，他知道接電話的人是XX貿易公司的職員。

「謝謝你。請叫鄭康平聽電話！」方永說得那樣迫促。

「等一等。」

這三個字，叫方永放心了。他舒了一口氣。

電話裡有椅子移動的聲音，彷彿也夾雜著打字機的聲響。有人拿起電話來應了一聲「喂」了。

「是老鄭嗎？」方永問。

「嗯。是鄭康平呀。什麼事？」

聽到老鄭那熟悉的聲音，方永好像一個受了很大的委屈的孩子突然遇見親人似的，抖著嗓音，差點哭出來了：

「老鄭！是我——我方永啊。」

「方永？……你什麼時候回來的？」

「前天。我去找過你。可是——」

「唉，『拆遷』！一言難盡！小方，等下我們見面談吧……」

於是，那邊鄭康平跟方永約好下午一點鐘見面的地點。

掛上了電話，方永打褲袋裡掏出手帕來，抹了抹他手掌上的汗。

第三章

下午一點五分。

一個頭髮剪得短短、中等身材、穿著套半新不舊的薄絨西服、四十二三歲的中年人，推開德輔道中一家餐室的門，走進裡面。

卡位上、桌子前差不多坐滿了人，但人們還是在他眼前轉來轉去。

他把那副架在鼻樑上的膠邊眼鏡一托，閃身避過一個端著碟什麼湯的侍者。他很快地就看見那個五年來常在他腦海中出現的臉孔，那是方永的臉孔：濃黑的眉毛，明亮的眼睛。

坐在卡位上的方永這時霍的站起來。他直望著鄭康平，彷彿要從對方的臉上找尋自己留下在香港的記憶還是什麼。心裡一升一沉，感情是那樣微妙而又複雜，比方永自己所能預期會來的更為複雜。歡樂與哀愁，快慰和辛酸，在這幾秒鐘裡變換得如此快。它們糾纏著又給分開；分開了又糾纏著。方永伸出手——

手是伸給父親一個生前的摯友而現在是自己在香港唯一親人似的朋友！方永

的手是結實的啊，鄭康平想。他把它握得那樣緊，兩隻手許久都沒有分開，兩人似乎都不肯把它分開。

臨了，鄭康平坐下來端詳著方永。

「小方你黑了點，可是身體看來很結實。」

「老鄭，你還是一樣年青呀。」

「我？你別哄我。我老了。最低限度老了五年啦。」

「那我也老了五年嘛。」

鄭康平咧著嘴笑了。「你『喊』了『乜介』東西？」他故意用客家話說了這一句。

「還『無喊』呢。」方永也咧著嘴笑了。他把餐牌遞給鄭康平，「我想喊個咖喱牛肉飯！」

「那我也來個咖喱牛肉飯。」鄭康平把菜牌放到一邊，「兩點鐘上班，你知道囉！」

叫過飯後，兩人突然沉默起來。

「抽根煙吧！」方永說。

「我不想抽。」老鄭補了一句，「在公司裡抽得不少啦。」

方永不想唱獨腳戲，他把那包拿在手上的煙又放回餐桌上。「老鄭，你們現在究竟住在什麼地方呀？」

「我等下抄給你。今天晚上來。同你洗塵！你這次坐船還是——」

「坐船！」

「幹嗎不預先告訴我們一聲呢？」

「你曉得我這個人哪！就是怕麻煩人家！」方永說。

「你的意思是不讓我接船，呃？」

方永點點頭。他告訴老鄭，這次他在巴西的里約熱內盧下船，在英國的掃桑波頓轉船；經過科倫坡、新加坡回到香港來；打離開礦山那天算起，為時不經不覺有個半多月了。

「我在礦山裡最後給你那封信，大概有兩個多月了吧？」

「兩個多月？」老鄭說，「三個多月哪！現在是九月底，我記得你那封信是六月寄給我的——你說五年的合同這就滿了，但哪一天動身回來卻沒有說。」

「船期嘛，很難說。哪一天，當時實在連我自己也不曉得。我當時想呀，反正我很快就會見到你們啦。所以就索性不再寫——再說，懶寫信，那點壞習慣還是改不了！」

「再說呀，」老鄭打岔道，「怕『麻煩』我接船！」

方永笑了笑。「幸虧我事前沒通知你——」

「為什麼呢？」老鄭一楞。

「我們坐的那條船不是『藍煙通』公司什麼的，沒泊大碼頭，泊浮泡。你去接了不是等於沒接？」方永問道，「大嫂和孩子們都好嗎？」

「都好。大嫂瘦了點啦。」鄭康平說，「你看，我也不是瘦了嗎？」

「嗯。」

「房子問題呀。」

鄭康平說，三個月前，他們接到業主的拆遷通知。他當時心裡很亂，便沒寫信給方永。業主要那幢樓房的住客在三個月內遷出……

「這怎麼可以？三個月內！」方永吃完他最後的一口咖喱牛肉飯。

「不可以也得可以！」老鄭苦惱地搖搖頭。

「可以反對嘛！」

「行呀——當然可以！」老鄭把碟子一推，壓低了嗓子說：「如果你跟他們打官司！」他用餐紙抹了抹嘴。

「這就是！」方永說，「那為什麼不跟他們……」

老鄭乾笑了一聲。打口袋裡摸出包香煙，要了一枝，順手揩了一枝給方永。

「可是，住客們誰付得起律師費呢？」

「那麼二房東呢，他們也是住客……」

方永劃火柴。老鄭把嘴上那枝煙捲湊到火裡去。吸了一口，他說，「有拆遷的賠償費。幾千塊錢的呀。」

「那還不錯吧！」方永噴了口煙。

「二房東是不錯。你知道，有些二房東，因為拆遷，說不定反而賺了錢哩。將來他要不要找，或者找不找到另外比原來更好的房子是另一回事。直接跟業主接頭的是二房東，人家業主管你住的是尾房，還是『光猛頭房』！那賠償，就是賠償給直接跟他業主有來往的人。租單上寫的是二房東的名字呀。可是我們是三房客，倒楣的就是我們三房客。『當夾衲，贖棉衲』（勢無兩「立」），人家起大樓嘛……這個有好處，那個就少不免要……呃！心腸好的二房東還好，他念在你多年房客之情，一千幾百，還多多少少補償點給你！要是你碰到個——嗨！不說了。」老鄭唸叨著，看了看腕錶，「小方，我們搬走以前，是寫過一封信給你的，你一定沒收到囉。」

「沒收到！多久的事啦？」

「大概……大概有一個月了吧！」老鄭托了托眼鏡，盯著方永，「你那時候是在路上……」

「已經下船了。」方永說，「你們什麼時候搬家的？」

「兩個禮拜前。」

「你找到目前這個地方，不是也算——」

「算走運了！還是靠同事幫忙的。可是好多人就沒有我這樣好運氣。哎，才搬得狼狽呢……」

方永想起了自己託老鄭存在銀行裡的那筆款子。老鄭一直沒提到它。方永有兩回想問他一聲，「究竟真確的數目是一共港幣多少？」但覺得不容易開口——五年不見；一見面，你就問人家：錢，這怎麼行呢？算什麼友情哪？錢，還是暫時不提吧，方永想。但吳瑛呢？難道老鄭完全忘了他方永有一個這樣的愛人？——

就說是女朋友吧！

方永待要同老鄭說說吳瑛的事，但老鄭站起來，說要上班了。

「咦？」方永把老鄭的手一拉，「說了半天，你還沒有抄給我新地址！……」

他回到德輔道中的旅館裡。

「方先生，」那茶房一邊用鑰匙開著房門一邊說，「剛才有個女人來找過你。」

女人？方永心裡第一個就想到吳瑛。

但怎會是吳瑛呢？一瞬間，他又不同意自己的想法了。吳瑛不是已經走得遠遠了嗎？

「她怎麼樣的年紀？有說姓什麼的嗎？」方永問那茶房。

茶房把門把手一擰。「四十來歲，胖胖的。嗯，她留下個口信，叫我轉告你：對面海尖沙咀黃太太想同你講幾句話。」

是老張的大姨！方永暗忖道：她怎會找到這兒來的呢？大概是老張告訴她我這個住處的吧？

一腳踏進房間，方永的臉朝著那茶房——

「她沒說是要緊的事還是不要緊的事？」

「沒說呀。」那茶房身靠著那門框子答道。他望著那皺了皺眉頭的方永說：「她只說，你有空就請過去……方先生，你要茶嗎？」

「不。我在外邊喝過了。」他瞧了那茶房一眼，「你叫『乜哥』（什麼名字）哇？」

「阿炳。」那年輕的茶房說。

「謝謝你，阿炳哥！」

茶房悄悄的掩上門走了。

方永納悶著點上枝煙捲，跑到騎樓上瞧了瞧街上的行人。心想，黃太太找他是不是為了房間的問題呢？噫，那空著的房間，大概又有人來看了吧？倘然租了出去，我不就……

方永把煙捲往下邊一扔，連他自己也嚇了一跳。它差點給扔到一個路人的頭上去。他本能地把身子縮回來。行人路，電車軌一下子就給拋開在他的視線外。

他無聊地望著對面那列商店的騎樓上的招牌。那大同小異的一個個藍呀黑呀的招牌字！沒有什麼看頭。望望天空，太陽不知什麼時候躲進雲層裡去了。

這不是陽光遍地的一天。香港天氣也真怪，同是初秋天時，前天他離船上岸，陽光燦爛啊；但這會兒——陰陰沉沉的天氣。連上午那點子暖氣都跑了哪！

他把身上的長袖夏威夷衫脫下來：嘿，說起來嗎可真奇怪，他打巴西礦山裡帶回來的，除了一皮箱短袖、長袖夏威夷衫外呀，好像什麼也沒有似的。他換上襯衣，匆匆套回那件甲巴甸大衫，走出房間。

「阿炳呢？」他問樓梯口櫃枱後面那茶房領班。

「客人叫了他去。在二〇四號房吧？什麼事呢？」

「我想交帶一句——如果有人找我，請叫他留下姓名、地址。」

那茶房領班點了點頭。

半多個鐘頭後，方永到了尖沙咀黃太太的家。前次斟茶給她的那女傭人對他說：上午女主人上街去了，還沒有回來。

「黃太太那空房間有人來看過沒有？」他打聽地問道。那女傭人不明白他的用意，一楞，說道：「沒有呀」。

方永回到香港這邊。

他到西環旗昌街去。老張不在家，張大嬸從中間房跑出來，她招呼方永在冷巷裡的椅子上坐下。

「老張跟朋友一塊出去。」張大嬸說著告訴方永，「嗯，我姐姐中午的時候來過。她對老張說，很想找你談談。」

「什麼事呢？」方永問——但不得要領。

五點四十五分。方永按址在京華戲院附近的渣甸街上找到鄭康平的新地址。是離開菜市場不遠的一幢二層樓。方永夾著兩盒朱古力到了XX號的二樓門前，按鈴——

出現在方永面前的，竟是前天他在米奇餐室裡碰見過的那個年青的姑娘！

正是那個有著一頭長長的秀髮的姑娘！——那秀髮，跟吳瑛的同樣可愛呵……

方永在門口站住，整個的呆下來了。

一雙憂鬱、寂寞的眼睛像夢一樣又一次回到自己的身邊！在這剎那間，方永有出奇的感覺：跟這同樣的眼睛，什麼時候、什麼地方，他曾經看過，不止一次的看過。它是那樣親切、熟悉；然而，又無法記起自己曾經哪年哪月看過。一切都去得那樣遠遠了：童年、天真無邪的日子、學生時代、踢足球的星期日、吉隆坡的家，無數的記憶，像萬縷柔絲，在僕僕風塵的這些年月裡，給什麼風吹散似的，聯繫不起來哪。

遠去的遠去了。可是呀，你怎會忘記前天的事兒！方永想。可不是嗎？他記起前天打米奇餐室跑出來買了電影票子後，在彌敦道的一個橫街口，看到這姑娘在買橙子的那回事。

「你找……」那二十三歲左右的姑娘，顯然也由於意外地再一次看到這紫銅色臉、眼睛明亮的年青人，怔了好半天，說不出話來。

方永盯著她。「我找——」

「噗」的一聲！他腋下那兩盒朱古力有一盒從他的臂膀裡滑下來啦。臉紅著，他急忙忙低下頭——彎身把地上那盒朱古力撿起來。

抬起頭，方永看見那姑娘抿著嘴笑了笑，笑得那樣溫和。「我姓方的——」方永說，「找老鄭——鄭先生……」

哎！他想：我說話怎麼一下子變得這樣笨！

「鄭康平嗎？」那姑娘問。

「嗯。鄭康平。我是他的老朋友。」

「誰呀？」屋子裡老鄭的聲音，「華姑娘，是找我的嗎？」

「老鄭！方永呀。」方永提高嗓子搶著向裡面喊。

那華姑娘向他點點頭，彷彿在說：你還站在外邊幹嗎？

方永覷視著她好一會兒，才微笑道：「謝謝你！」

她讓方永進了裡面就順手把門關上。

屋子裡，鄭康平迎上方永，一看，方永換上了一套甲巴甸西服，手便往他的胳膊上輕輕的拍了拍：「小方！新衫嘛！」

方永低聲的答道：「利源東街貨。」

老鄭讚了一聲：「不錯！」

這是一間三房一廳的屋子。屋子不新，但不太舊。方永望了望那大屏風似的，用什麼厚板間著的房間，問老鄭：「你們住在哪一間？」

「頭房，」老鄭答。「連廳！」他加了一句，「廳是二房東讓大家用的。」

「那還不壞嘛。」

「這二房東是我一個同事的親戚。就是那同事，他幫忙我進來住……」鄭康平解釋著說，「二房東，一雙年老的夫婦，他們住在這兒的尾房。而他們的兒子媳婦孫子呢，是在外邊另租屋子住的。大概是嫌這兒地方淺窄吧？」

進了老鄭的房間，方永望著兩個伏在床上玩「打波子」遊戲的小孩，一楞，問老鄭道：「小的那個是一聰的弟弟吧？」

「是呀。他叫二文。你去的時候，他才幾個月大……」

「一聰！你看誰來了？」老鄭向他的那個十一歲的孩子嚷道。

小聰抬起頭，望著方永好半晌，突然撲到他的身上來：「方叔叔！」

方永順手把兩盒朱古力往床上一擱。「一聰，你還記得我啊？」他雙手環著小聰的背脊。

「怎麼不認得！我小時候你常常請我吃糖果的！」一聰齜著那兩排參差不齊的小牙在憨笑著。

「小時候！唔，你現在是大人哪？」方永用勁地把這小傢伙一抱，「喲？真是大人嘛，重量可不小哦！我請你吃朱古力。」

聽到朱古力，一聰雙腳撐了幾撐，就把身子抽回，往床上一坐——

「呃！」他尖叫了一聲。

「嘖嘖……」老鄭咕噥著，「你看你，把方叔叔的朱古力給壓扁了。」

「好吧，小聰！」方永噘起嘴唇說，「我就請你吃『壓扁』的朱古力！」

「我吃，我吃……」那是二文——這六歲還不滿的小東西，剛才一直蜷伏在床角悶聲不響，現在坐起來，瞧著方永，把他那小食指擱在唇上：「我吃『壓扁』的朱古力！」

他爸爸瞅了他一眼，但沒有用。二文站起身子來，在床上跳了幾跳，一個不客氣，抓著盒朱古力就走。

「阿蚊仔，你不能吃！」一聰以哥哥的身份命令著。

阿蚊仔是二文的「花名」。他好像不大喜歡他哥哥叫他這「花名」，嘟了一下小嘴還擊：「嗡嗡聰！嗡嗡！聰……」

老鄭搖了搖頭：「哎，你們到外邊廳上去吧，別吵著方叔叔。去！」他擺了擺手。

一聰和二文跳跳蹦蹦的開了門跑出去。

「你這兩個頑皮的小鬼！」房門外，是鄭太太的聲音。

「大嫂？」方永對老鄭說。

「嗯。她一直跟華姑娘在廚房裡……」

方永正待要問老鄭那華姑娘是什麼人，老鄭的太太跑進來了。她是一個三十六歲的婦人，但看來卻像四十多歲。在這個雙頰瘦削的婦人的身上，生活的壓力似乎已經成為一種不易抗拒的可怕的力量了。燈光下，她那蒼白臉上的一雙大而無神的眼睛，睜開著，顯得那樣疲乏。她也許有過黃金一樣閃爍，值得她回顧的少女時代，幸福的日子，美麗的夢想，和夢想的光芒；但你不會知道，因為那一切不在她那雙疲乏的眼睛裡留下一點痕跡。

但現在呢，當她聽到方永叫了她一聲「大嫂」的時候，連自己也覺得意外，她突然覺得眼前閃爍著一片什麼。她知道那是自己的眼淚，但她不知道那是快樂還是辛酸的眼淚。方永不是她的弟弟或者什麼親人；他只是自己丈夫的一個亡友的兒子。方永長大了，後來成為自己丈夫的一個好朋友。是朋友或者親人，這，這又有什麼分別呢？——這年青人的命運，跟自己同丈夫和孩子們的命運，就是那樣緊緊相連似的。那一天，就是為了生活，為了錢呀，他去了。千山萬水，一去五年！五年很長哪！但方永到底回來了。

「方永，」鄭大嫂喉頭哽咽著，「回來幾天了，啊？……」

「星期六——前天到的！」方永說。

「這個錢真是不容易搵呀？在那邊辛苦囉……」鄭大嫂說著突然轉過頭去，用手背迅速地抹了抹眼睛。回過頭來，她用輕快的腔調說道：「那邊天氣很熱，是不是？……」

「嗯。比香港熱……」

鄭大嫂的手搓了幾搓身上的「圍裙」。「快開飯哪！……」說著她跑出去。

方永回過頭望著老鄭——

老鄭剛才聽到妻子說的「這個錢真是不容易搵……」那句，一直在沉思默想什麼。

「老鄭，你好像有什麼心事？」方永說。

「沒……沒有呀。」老鄭笑了笑，「你那筆錢……」

「暫時不提吧！」方永直瞧著老鄭，「你看過吳瑛沒有？」

「吳小姐？」老鄭臉一沉。突然反問道：「你呢？」

方永顫著聲音說：「聽說去了南洋……」他把從黃太太口中聽到的告訴老鄭。

「你看這是真，還是假的呢？」

「這我倒不清楚。」老鄭想了想，「不過，也很難說。今天在餐室裡我看你沒提起吳小姐，我也不説啦。二三月的時候，我去看過她一兩趟。她好像是不大歡迎我的。那麼以後我……」

二文突然闖進來，打斷他們的説話，「方叔叔，你是打巴西回來的方叔叔，嗯？」

老鄭皺了皺眉，睞了二文一眼。

方永點了點頭：「是呀。」

二文眼珠一轉，張著小嘴：「聽聰哥説你打巴西帶了朱古力回來給我們吃，是不是？」

方永拿他沒辦法，只好又點了一下頭。

「朱古力是方叔叔在香港買的！好啦！」老鄭從椅子站起來，「別嚕嗦方叔叔！」

張大嫂在外邊叫吃飯了。

方永把二文的手一搭，跟他一塊跑到廳上去。

屋子裡騰空出來、擺上一張桌子和幾隻椅子的一個小地方，就是這個小廳。

晚上那餐，尾房那對年老的二房東夫婦通常在五點半以前就開完飯。住在中間房的華姑娘是自煮自食，或者有時到外邊去吃的。六點鐘以後，這小廳就是老鄭他們的了。它是這屋子的人的飯廳又是客廳。倘然把老鄭那兩個孩子的「朝行晚拆」算在內，那麼它同時又是睡廳了。

關於「朝行晚拆」的事，在飯桌前坐下來後，方永問老鄭道：「二房東肯嗎？」

「起初是不大願意的。後來大概看見那兩個小鬼頑皮得可愛吧？……」老鄭說。

一聽和二文這時靜靜的坐在他父親的身旁傾聽著。鄭大嫂跑進廚房去，不一會兒同那華姑娘跑進小廳來。她們各人手裡端著碟菜。

「華姑娘真——」

老鄭給鄭大嫂打岔了他的話。「今晚上華姑娘可真幫我們不少忙。康平，你快幫幫——」

老鄭霍的站起接過華姑娘碟菜，往飯桌上放下。這所謂飯桌，只是那種老式、有四個小抽屜的圓角酸枝「麻雀枱」，鋪上一張印著花紋和圖案的漆布罷了。

「不要客氣，請坐呀。大家算是熟人哪。」方大嫂讓華姑娘坐在自己的身旁。

華姑娘瞥了方永一下，坐下。方永瞧了瞧她，心裡有種異樣的感覺。

老鄭這時彷彿記起了什麼，一坐下又站起來，嚷道：「我真是！說了半天我還沒有介紹！這是方先生……」

那華姑娘驀然嗆了一下，差點笑出來。心想：方先生剛才在門口自己介紹過啦。她向方永點了點頭：「方先生！」嘴角掛上一個在方永看來是寂寞的笑。

「華姑娘……」老鄭說著坐下旋過臉來對方永說，「對了！小方，你剛才一進來我就想跟你說的咯。你覺得華姑娘有點像誰？」

「你說像誰？我也這樣想過——可是我記不起來……」

「有點像從前那個阿蘭！」老鄭說，「那雙眼睛，你看。」

老鄭和方永同時把華姑娘看得難為情起來了。

「誰是阿蘭？」鄭大嫂喃喃地說。她盯著她的丈夫。

「小方以前的妹妹……」

鄭康平在吉隆坡做事的時候，還是個單身漢。是第二世界大戰結束後，鄭康平回到香港來才跟鄭大嫂結婚的；所以鄭大嫂一直沒有見過方永的妹妹阿蘭。

她「哦」了一聲就不響。

「方先生，是真的嗎？」華姑娘瞧著方永，很感興趣問起來，「我樣子真有點像你的妹妹？」

方永的心沉了一下，但臉上卻擠出一個苦澀的笑。「嗯，」他慢吞吞的說，「我早就覺得你有一點點面善。不過我們實在是不相識呀。那天——」他突然停下來。

華姑娘心裡跳了跳。「那天——」她記起前天在那家小餐室裡方永盯著她那一會兒。她沒說下去。

方永也不再提那一天。「我說今天——今天晚上」，為什麼一句話兜了這麼個大圈子呢？在座的只有華姑娘一人心裡明白。「要是老鄭不提，」方永說，「我可真的想不起——因為我的妹妹早已經……」他輕輕的搖了搖頭。

「那是在吉隆坡淪陷的時候。」老鄭說，「聯軍的飛機空襲……小方的妹妹就是給飛機炸死的……」

鄭大嫂瞪了老鄭一眼，彷佛是怪老鄭多嘴——在這個大家高高興興的時候提起這些個！

華姑娘默默地、同情地望著方永。

一雙憂鬱、而又寂寞的眼睛！方永想：你怎會對一個從不相識的姑娘一下子就發生好感的呢？他記得前天，打米奇餐室走出來……自己那樣尋思過：能夠跟她在一起，大概是宗好事吧？為什麼會是宗好事呢？他現在恍然了。

小廳上突然靜下來。

老鄭覺得有點不對勁。連剛才嘩啦啦啦的一聰和二文也在乖乖的捧著碗飯坐在自己身邊，低著頭，「粒」聲不出。

「一聰，你吃過方叔叔的朱古力沒有？」老鄭在找話題，要打破這段沉默。

「還沒有呀。」小聰抬頭答道，「媽不許我們吃。」

「這就對。先吃過飯才可以吃朱古力。吃過朱古力就不想吃飯的啦？咦，二文，你只管自顧自吃的——沒叫方叔叔吃嘛！」

「方叔叔喝酒不吃飯！」二文把筷子一晃，向老鄭呶了呶嘴，望著拿著杯酒在想什麼的方永，「方叔叔！你跟爸爸喝酒。我們吃飯！」

說得大家都笑了。

「小方，今晚上同你『洗塵』呀。乾杯吧。」那是老鄭的興高采烈的聲音。

「乾杯？不。隨量吧。老鄭，你曉得咯，我的酒量是『有限公司』。」

二文這時又插進來：「爸爸和方叔叔喝酒。媽，你為什麼不喝？……玲姐姐，你也不喝？」

華姑娘叫做華玲。她笑了笑對二文說：「我們吃飯呀。」

喝著酒的時候，老鄭問鄭大嫂有沒有請過尾房的二房東夫婦。鄭大嫂說：「何老伯說不客氣，說他們吃過飯，也不會喝酒。他們上街看電影去啦！」

大大小小六個人擠在熱熱鬧鬧的飯桌前，一聰和二文先撤退。老鄭和方永開始用飯了。老鄭把自己和方永的關係約略說說給華玲聽。

「那你們是多年朋友了。」華玲望著坐在對面的方永說。

「嗯。」方永又好像活潑起來了，「華姑娘，你在這屋子住了好久了吧？」

「唔，」華玲說，「和平後，我在對面海姑媽裡住了一個時期就搬到這兒來。好幾年了。」

從這句話裡，方永彷彿意味到那是什麼一回事，但因為是初相識，他覺得不便追問下去。

坐在華玲的右手邊、方永的左手邊的鄭大嫂望了方永一眼，輕描淡寫的說：「華姑娘可真肯幫忙人！你曉得嗎？她本來是住在我們那個房間的——」

「是呀。」老鄭手裡的筷子停下來。他說道：「華姑娘以前是住在頭房的。是說，我們本來租的是中間房，她跟我們掉換了。」

「是嗎！」方永盯著華玲。

華玲沒說什麼，只是笑了笑，那嘴角劃了兩條可愛的弧線。她迅速地低下頭夾了撮菜。

「是嘛！」鄭大嫂替她回答方永，「她看見一來我們的房間比較小囉，二來看見一聽和小文晚上睡在廳上，我們照應不方便，才住上幾天她就說什麼也一定要跟我們掉換啦。」

方永靜靜的聽著，心不在焉地划著他的飯。

「算不了什麼嘛！」華玲抬頭說。

「算不了什麼？」老鄭把脖子一扭，「小方你注意到沒有，中間房比頭房小得多——小很多哪！」

「哪裡哪裡！」華玲把左手裡的飯碗往桌上一擱，用右手的手背抹了抹勻稱的鼻尖。那雙白得像她的白皙的皮膚一樣白的膠質筷子還拿在她的手裡。「鄭先生真會開玩笑！」

「不。我說的是老實話。」老鄭一本正經的說。「不過，」他頓了頓，「就算是玩笑吧！這年頭能夠開一下玩笑也不錯呀。你說是不是，『大嫂』？」他轉過臉直盯著他的妻子。

老鄭不是喝醉了吧？方永想。

「我看你今晚上多喝了點啦，嗯？」鄭大嫂瞟了他的丈夫一眼。

「喝醉？我的酒量，小方曉得！」他笑了一聲，「是不是呀，小方！」

「是。」方永點了一下頭，不知道該怎麼說。

老鄭又笑了一聲。他覺得快樂。「我說你呀，『大嫂』，」他對他的妻子說：「你就該笑笑吧！你這些日子老是愁眉苦臉的！」

「我今晚上不是挺高興嗎？」鄭大嫂說。

「小方你父親也曉得我的酒量嘛。」老鄭把眼鏡脫下，抹了抹又戴上。透過那兩片厚身的圓玻璃，眼睛霎了霎，他望著方永，好像望著遠年記憶中的一個什麼人似的。「是呀，你父親比我大十多年；可是我們是好朋友，無事不可談——大家都是懂得喝酒的人！哎，我是記得那一天，聽說馬來亞的錫膠一下子慘跌了，哪一州府……不叫苦連天！那晚上，你父親就跑到老巴剎口街我那兒找我喝酒。他一喝，就哭了！你父親就有這個毛病。好多老華僑也有這個毛病。可我喝酒不哭的！我沒這個毛病！小方，給我根煙！」

方永遞了根煙給老鄭。這時各人都放下碗筷了，華玲雙手支著下巴在飯桌前望著老鄭講話的神情。她想：老鄭不是喝醉，只不過多喝了點就話說得特別興奮罷了。廳上一角，一聰和二文又在爭吵什麼。鄭大嫂跑過去，叫他們別在嚷嚷，回到房間去玩「打波子」遊戲。然後，她又回來替各人斟上杯飯後茶。

老鄭點上煙後起勁地抽了一口。「我記得還有一個晚上，小方，你父親喝了點酒以後，一定要拉我出去走走。你猜他要帶我到什麼地方去？街上呀！就是吉隆坡街上。那天晚上很好的月亮。他拉我到了大鐘樓附近……還到洗都街……」他望著方永突然停下來。

「洗都街？」方永說。

老鄭知道自己說溜嘴了。他拍了拍方永的肩膀：「好！過去的過去了，我們談別的……我剛才說什麼來著？」

「說華姑娘——」

方永從老鄭口中知道華玲是在一家頗具規模的洋行裡做電話接線員。

「華姑娘單身一個住在這兒……所以嗎，我們叫華姑娘晚上那頓飯在『鄭家』

搭食好了。」老鄭說著瞥了華玲一眼，又望望鄭大嫂。

這一回，方永相信老鄭不是喝醉了。

「是呀。」鄭大嫂一邊用布抹著桌子一邊熱誠地說，「我叫過華姑娘好多次咯。她總是怕打攪我們。打攪什麼？反正華姑娘——你一個人，我們人也不多！添上雙筷子就行。」

華玲站起來要幫手收拾桌上的碗碟。鄭大嫂用手把她的肩膀一按，輕聲說：「你是客——坐下來。」鄭大嫂回過頭向方永，「你說，方永，我剛才說的可對？」

「嗯。」方永幫上一嘴，「華姑娘，別客氣咯。同屋共住就當做『自家人』一樣嘛！」

老鄭聽到方永溜出那句親切的「自家人」，笑了笑向華玲解釋：「方永的祖籍是梅縣——客家人！南洋的華僑就往往是這樣，不忘本，連家鄉話也幾代不變！——他說得對，像自己人一樣嘛，客氣什麼。幹我們寫字樓這一行，整天坐，不弄上個胃病已經萬幸了；要是一下班回來，連氣還沒喘定，就忙著到廚房裡去生火煮飯，『日子有功』，這可不是玩的呀，華姑娘！」

沒有人知道華玲心裡這時想的是什麼。聽著鄭大嫂那頓話，然後方永，現在是鄭康平的，她低下頭感動得差點要哭出來。好多年以前，她聽過父親，聽過母親，聽過哥哥說過類此的話——對她如此關心的話；但父親、母親、哥哥，都先後離開人世了。她想哭。但沒有哭出來。有時候，有些地方，實際的生活像一隻可詛咒的魔掌握住人的咽喉。你喘著氣，要掙扎。你站起來。你要活下去。年復一年，你就在自己的身上鍛鍊出一種什麼也耐得住的勁啦。她知道自己現在很激動，但她沉住氣，抑制著自己……

華玲抬頭向大家笑了笑，那憂鬱的黑色的眸子在那不長不短的睫毛下閃了幾閃。她噘著嘴唇說道：「呃！從今天晚上起，我不是已經開始同你們搭食了麼？」

「怎麼？真的？」鄭大嫂那隻在桌上疊著碗碟的手陡的停下來。望著華玲，她一時記不起自己從什麼時候起就喜歡上這位年青的姑娘！是打從華姑娘跟他們換掉房間那天起嗎？不！是他們搬來後的頭一天，那天星期日，華姑娘看到他們夫妻倆忙得滿頭大汗，便幫忙著替他們照應一聰和二文。她記得那天，華姑娘衝著孩子們問：「你叫什麼名字？幾歲？在哪兒唸書？」大概從那一分鐘起，她鄭大嫂就對華姑娘發生好感了吧？

「為什麼不真？」華玲回答鄭大嫂。說著她又轉向老鄭和方永。「怎麼？不歡迎我啦？」她有意開玩笑地說。

方永正待張口，老鄭搶先答道：「不歡迎！」

「啊？」華玲瞅著老鄭。

「因為你答得不爽快！考慮的時間太長！」

華玲衷心的笑了。「好，既然我現在『搭食』了，這桌子也有我的份兒！」她對鄭大嫂說，「這個——」她邊說邊站起身子。

「你別動。」鄭大嫂叫道，「這些沒有你的份兒！」

「咦？我已經不是『客』了哪？」華玲還是把碗呀筷子呀搶到手裡拿著向廚房走去。

鄭大嫂搖了搖頭，笑了笑，她好多日子沒有這樣開心過了。她想，這樣子跟華姑娘鬧一下也是挺有意思的嘛！她捧著碟子跟華玲走。

同老鄭談了句什麼，方永聽到華玲在冷巷上對鄭大嫂說：「『自家人』嘛，方先生說的！……」

第四章

方永覺得自己的身體沉下去，沉下去。

這只是幾秒鐘的事情：他一用勁，身體又浮起來了。他發現自己躺在一片汪洋大海上。礦山的茅棚、里約熱內盧的燈火、香港的街道、黑夜和船，一下子就給拋得遠遠。一陣浪把一切都拋得遠遠。

連他自己也給拋上岸了。不是什麼岸呀，是吉隆坡的街上。嗯，是一個晴天。他抬頭看看吉隆坡那個有名的大鐘樓，它指著十點半。嗯，他已經回到十四歲那一年那一天、上午十一點半的那個時間裡去……有日本皇軍在他耳邊嘰喱咕嚕。他恨透日本皇軍。他說他恨。一個滿臉橫肉的日本皇軍罵他支那小豬玀什麼的。他看見那閃閃發光的槍尾劍。他跳起來，跳過那把鋒利的槍尾劍。他聽見警報聲響。抬頭——天空越來越低。他看到飛機，那超級空中堡壘B-29型。他興奮得直跳起來。讓聯軍的飛機把日本皇軍都炸光吧。我們要過和平的好日子！

他要大聲的叫。但還沒叫出來，天空上有幾十枚炸彈向大鐘樓附近的博物院落下去。他眼前一黑，睜開眼，看見那有著一頭長長秀髮的姑娘走在他的前面。他叫了一聲吳瑛。那姑娘回過頭來向他點點頭。

她不是吳瑛。她有一雙憂鬱而又寂寞的眼睛。華姑娘，是華姑娘！她身上穿著「紗籠」。

華姑娘奔向洗都街去。他發慌了。他喘著氣追上去。他要制止她走到洗都街去。「你不能去！你不能去！」洗都工廠區一下子變得在另一邊；而洗都街卻在這一邊。那一邊越來越縮小；這一邊越來越大。洗都街那列小店舖突然也大起來，跟天空上掉下來的炸彈一起爆炸！遲了！太遲了。炸彈，那另一枚黑色的炸彈在華姑娘的身上落下；那黑色越來越闊。它把方永自己的身體壓著，壓著……

方永一身冷汗，醒過來了。

淡淡的陽光落在窗外的騎樓上，騎樓外街上有電車聲。他想，剛才那陣警報聲，大概是電車擦著路軌的那陣尖響吧？

方永躺在旅館房間的床上沒有立刻起來。

真是一個奇怪的夢，他想。

他記得他十四歲那一年那一天的上午，聯軍的第一次向當時陷在日軍手裡的吉隆坡空襲，他自己的妹妹阿蘭就是給炸死在洗都街上的。十一歲阿蘭那天到洗都街一家舖子裡去看她的一個小朋友。自然那小朋友的一家也在那次目標錯誤的空襲下犧牲了。

他想起剛才夢裡那個身穿「紗籠」的小姑娘。不該是華姑娘，是自己的那個阿蘭妹啊！事實是那樣，但為什麼華姑娘偏偏出現在那個奇怪而又可怕的夢裡呢？

方永尋思著，惑然地擰了一下眉頭。夢有時就是那樣叫人莫名其妙嘛——真是！瞎費心思，我想它做什麼！

可是，方永下了床抽上根香煙之後，又想起來了——想起昨天晚上鄭家裡的一切：大大小小六個人擠在一起吃飯的熱鬧情景，老鄭的健談，鄭大嫂的沉默寡言和對人的關切，以及華姑娘在聽到他方永的妹妹犧牲於當日聯軍空襲下時目光中流露出的哀傷與同情。嗯，是的，華姑娘那雙寂寞的眼睛有點像他妹妹的那一雙。轉動著烏黑的眸子憂鬱地看人和世界，永遠在顧盼著什麼、期待著什麼似的；那轉動，那顧盼，那期待，是如此相同啊。這就是為什麼華姑娘出現在剛才那個奇怪然而又一部分符合事實的夢裡。

答案找到了！方永很滿意自己能夠找到。

洗臉、刷牙忙了一陣，不覺到了十一點半，是該吃「早」飯的時候了，他決定一吃完飯就過海去。但就在這個時候，老張跑來。

「方先生，我昨天晚上很晚才回到家裡！」老張說，「聽我女人說你昨天下午找過我。對了，我大姨收到了吳小姐的信，我看，你已經——」

「啊？」方永一怔。

「你沒有再到我大姨那兒去過？」

「沒有。」方永沉吟地說。「吳瑛到底寫信給我了。」他瞅著老張，「可她怎麼把信寄到——」

「方先生，你弄錯了，信是寫給我大姨的呀。」

「哦。」

「我大姨說她問起你！」

「是嗎？」方永揚了揚那濃黑的眉毛，「她在什麼地方？」

「是新加坡吧？」

「已經結了婚，可是？」

「這我不清楚。我沒有看過那封信。而且昨天沒跟我大姨說上幾句，她要了你的地址就走了。」

方永問老張吃過飯沒有。老張搖頭。

「那麼一塊去吧。」方永說。

本來嗎，昨天晚上鄭康平夫婦是叫方永早晚兩餐回到他們家裡吃的，但他自己覺得晚上那一頓還可以，早上那頓就不大方便。沒事情幹，一天那樣長，怎樣打發！暫時來說，他寧可多花點時間在床上：要睡到哪時候就睡到哪時候，不受吃飯時間限制。方永認為：捱了礦山的五年，現在就不妨「歇歇身」，休息它一個時期再說！

再說呀——反正吳瑛遠去了，婚又結不成！他想，那萬多塊錢，總可以……

方永同老張打旅館走出來。老張提議到蓮香茶樓「飲茶」。

「今天一定是我的，我才去！」走過了電車路，方永說。他突然在一家商店門前的行人路上停下來。「怎麼樣，老張？」

老張笑了笑，答道：「好，今天不同你爭吧。幾時喝三毫子一杯的咖啡我才同你爭！」

在「蓮香」的二樓上坐下來後，方永想起一件這樣的事：那一年夏天，他失業；吳瑛卻在中環另一家洋行裡弄到個打字員的職位；一個星期六的下午，他同吳瑛走在路上，「方永，你相信不相信，我從來沒到過茶樓『飲茶』，一次也沒有！」他聽到她那樣說，便說：「那麼我們這就去吧！」可是，當他陪著她跑上電車路的那家什麼「樓」的二樓上時，她皺了皺眉，突然臨陣退縮了。

「這，這怎麼成呀，全是，全是人……」是的，百分之九十是穿著唐衫「短打」的男人！何況那時候又正是茶樓最熱鬧的午市。茶樓夥記的叫賣和叫數，斟生意的聒絮，茶客的高談闊論——人聲，亂哄哄的人聲，真把一個從來也沒有上過這樣茶樓的寫字樓小姐嚇住了！

但他當時幹嗎不帶吳瑛到那些不那樣「亂哄哄」的茶樓去呢？方永想——譬如這裡！呃，他當時想不起來？不是！他袋裡那天只有幾塊錢，他哪敢自作主張「請」她來呀！

「方先生，」老張的聲音，「我好多年沒有到過這兒來飲茶了。」

「五年？」方永望著老張。

「不止五年啦！」老張呷了一口龍井。

「喂，夥記——兩籠！」方永叫道。

「嗯，這蝦餃不錯！」老張慢吞吞的嚼著，「你找到那姓鄭的朋友了吧？」

「找到了。」方永舒了口氣，「唔，我還以為今天得『賣報紙』（登報紙廣告）尋他呢！」

兩人離開茶樓在中央市場附近分手的時候，老張說要去灣仔找他的「同行」朋友。

「看看有什麼木頭可刨嘛！」他笑了笑。

下午。方永到了昨天曾經來過的地方。剛好碰上門開，黃太太站在那兒目送著一個什麼客人下樓。

「啊，方先生，你來啦！」黃太太滿面笑容的說，「我知道你昨天——」

「嗯，我剛同你妹夫老張飲茶。他說——」

「你進來……吳小姐那封信，讓我給你看看吧……」

她招呼方永在客廳的梳化上坐下來後，就跑進房間。

方永心想，我這一下總算知道吳瑛的下落了！可是有什麼用！但是，他仍然禁不住心跳：她在那封信裡會說些什麼？老張說她問起我；怎樣的問起呢？她還沒完全把我忘掉嗎！

黃太太打房間跑出來。

「看！我沒騙你，」她把信遞給方永，說，「方先生，吳小姐是真的提起你。」

哎，這樣的語氣！黃太太好像認為吳瑛信上不提他方永是理所當然的事，提，反而是意外的了。

方永捏著那白色的信封——是新加坡的郵票！他鼻腔裡突然感到一陣子酸：他這一趟回來，船就是經過新加坡的呀。我這邊來，你那邊去。人世上的死別生離，那是什麼味兒，他知道——因為他嚐過，一次又一次！而現在，他回來了，吳瑛又遠遠的去啦！五年的分離呀，就是永遠的分離？……

方永讀著信上那熟悉的吳瑛的手筆，似乎那每一個字，都經得起咀嚼似的：他讀得那樣慢，那樣用心。

其實，那是一封很簡單的問候信。信裡吳瑛告訴黃太太：她在三個月前結婚；她母親很健康，很快樂。她自己也很快樂。信末，她加了這樣一句：「黃太太，我從前的同事方先生到過府上沒有？請代致意。」

方永讀完那最後一個字了。他感到失望。他的感情好像從一個飽和點突然敗退下來似的，連辛酸的感覺也沒有了。事實已經確定：吳瑛已經嫁人了。還有什麼可說的呢？他甚至連難過一下的勁兒也沒有了。

他感到疲乏。心靈上的疲乏。

「吳瑛總算有心，她還記得我。是嘛，她們臨走以前，我是叫她來信的呀……」黃太太嘮叨著，望著方永，「嗯，她還記得你呢！」

「是，她還記得我……」方永茫然地說。

黃太太把信拿回手裡，說道：「昨天我收到她這封信，就順路去找你咯！我記得你那天問過她的下落……你要不要把她的地址抄下來？有空也回封信給人家嘛——」

方永搖頭苦笑了一下：「謝謝你。我不抄啦！」

黃太太不以為然的說：「哎呀，你——一場同事嘛！」

「那麼——改天再說吧。」

這可把黃太太弄糊塗了。

她盯著方永，突然提起這個問題：「房間呢？」

「房間？」

「那空房間呀。方先生，一句話——你打算不打算要？」

「嗯……」

「如果不要。我就馬上答應別人的啦。剛才我送走的那位先生，是我外邊的一個同行，做經紀的，他早就聽説過我有一個空房間。最近他的一個親戚給『拆遷』，他就跑來問我。可我想到你呀——我對他説，過兩天答覆……」

「黃太太，多少租金？」

「嗳，你是吳瑛的同事，又是我親戚的朋友，不多要的，你放心。我不要你的什麼『按櫃』、『上期』——每個月九十塊錢，硬打硬。是梗房呀，你到哪兒也不容易找的了。全看在你是個老實人！你來吧……」

黃太太説著，帶方永去看吳瑛母女以前住過的那個房間。

那是一個尾房。有窗，光線充足。因為是梗房，就顯得格外寧靜。

黃太太挪動著她那日漸發胖的身體進了裡面。她不明白為什麼她那個年青的未來房客比她老人家走得還慢。

方永在通道上門旁陡的停下來，先就看到了一張寫字枱。

不空嘛，他想。

「咦？」黃太太回頭找方永。「我以為你跑了！」她手一招，「你看，是不錯吧？」

使方永觸目的是窗下寫字枱對面的一張鐵床，它上面有疊得齊齊整整的枕頭、毯子……方永暗想，難道是吳瑛母女留下來的東西？

「你覺得奇怪吧？」黃太太說，「嗯，這是我兒子的……」她說，她有個兒子讀中學，在學校裡寄宿。除了星期六的晚上，他不會回來。

「這屋子挺清靜的呀，」方永說，「唸書的，晚上做功課正好！」

「正好？有時候，連星期六晚上他也不願意回來。」頓了頓，黃太太說：「是不肯回來！」

「那一定是——學校比這兒更清靜了。」方永說。

「他怕我嚕嗦。方先生，你覺得我嚕嗦嗎？」

「不覺得。你人很好。很熱心。」

「可不是！他說我嚕嗦。」

黃太太搖頭。方永微笑。

「我這個人呀，就是嘴裡愛說點話，可是肚子裡什麼也不說人家的——直腸直肚！」黃太太說。

「我曉得你心腸好。」方永說。

黃太太笑。

「什麼時候搬來？」

方永想了想，說：「你覺得什麼時候方便？」

「什麼時候也方便，我先吩咐一下，如果我不在家……」黃太太跑到門口喊道：「阿銀！阿銀！……哼，又不曉得跑到哪兒去啦。」她突然想起什麼，「嗯，是我叫她出去買東西的。可不是，這些日子替人家買樓賣樓弄昏了。我說呀，這經紀我快要不幹了。還是那句話，直腸直肚怎麼夠人家搶！」

「那我後天搬來。」方永說著跟黃太一塊走出這尾房。

「明天也行呀。就是今天也行。你行李不會多吧。」

「就明天吧。簡單得很，一個小皮箱。還有就是存在朋友那兒的一點點——你這兒的東西……」

「床上的東西我拿去。你喜歡嘛，床囉、枱囉、椅子囉算是歸你用！」

「暫時借給我用？那，太好了。」方永停下來。他從衣袋裡掏出一張一百元面額的鈔票。「黃太太，這是房租！」

「呃，我說過的——將來說吧！」

「請收下！」方永用懇求的聲調說。

黃太太只好收下。她捏著一百元鈔票，盯了那中間房一眼，突然壓低嗓子道：「房間跟你那個大小差不多，可是——一百五十塊錢！」

方永正待離開這屋子，給黃太太喚住。

「等一等，方先生！我還沒有找你錢哩！……」

「我還沒請你『飲茶』呢。我什麼東西也沒帶點給你嗎！我該謝謝你……」

方永來到街口。香煙攤子上還是那個老婦。他跟她買了兩包小的鴨都拿香煙。

「阿婆，」方永說，「你以後又多個『熟客仔』了。我就住在這條街上！」

那老婦瞇縫著眼直瞧著方永笑。

方永想起大前天他跟這老婦買香煙時的心情，他當時心裡又高興又緊張。五年，一切都可能改變，是真的改變了呀。吳瑛五年前離別時的祝福和眼淚以及最後那封信裡的「我常常想起你」，卻成為五年後他再來時不值一笑的虛偽的祝福和眼淚，以及謊言。是改變了。現在，一切不是已經證實了嗎？

方永想起皮箱裡吳瑛的照片，他哼了一聲。

賣香煙的老婦只道他同自己笑，便點點頭。

以後我又多個熟客仔了，她心想。

「以後幫襯我，一定啊，先生……」她說。

方永點頭。這回真的向她笑了。

方永經過米奇餐室門口。他想起華姑娘。他把門一推走進裡面。

他坐下。

好久才有一個侍者跑來。人來人往，今天這臉孔，明天那臉孔，你在這兒是陌生的，他想。人家沒有理由認得你。五年前，那時候可就不同。老闆不是這個老闆，侍者也不是這些侍者。那時候他還沒去巴西；也還沒跟老張一樣愛上咖啡。他當時呀，有吳瑛。哼，我又想吳瑛？

「先生，」那侍者問，「你要什麼？」

「哦。咖啡。」

他又在想吳瑛了。真是！過去的讓它過去吧。他怪自己不夠堅強。拿得起放得下，這才是個漢子！倘然你放不下，快樂的是人家，苦的還是你自己。他想，我沒理由為她折騰自己一輩子！

但吳瑛不對呀，他想。怎麼，我又想她啦？

侍者把那杯咖啡往他的桌子上一擱，就轉身招呼別的客人去了。

以後日子很長呢，方永想。我會常常到這兒來。我就會是你這小餐室的熟客，你會認得我。

他呷了一口咖啡，盯著近門那個卡位。大前天，他記得……那頭長長的秀髮。嗯，華姑娘就是坐在那卡位上。現在他知道華姑娘叫做華玲，二文叫她做玲姐姐呢。

他不願意、也不大敢想下去。華玲的眼睛和他的慘死的妹妹……戰爭真是可咒的東西。

倘然阿蘭妹還在，論稱呼，華玲還得叫她一聲蘭姐姐吧。方永想著把杯子一捏。他抬起頭，一個女學生打扮的小姑娘朝角落裡的點唱機走去。

方永皺了皺眉頭——她正把一個角子塞進那紅紅綠綠的笨重的東西去。

唱片響了，但不是那砸破碟子的 rock rock rock rock。

沒有人在嘶破喉嚨喊，只有音樂，他有點喜歡它。他知道那隻音樂叫做 *Auld Lang Syne*（《驪歌》）。他覺得那女學生打扮的並不怎樣討厭——因為那隻音樂並不叫人討厭。

她是個寂寞的小姑娘？他想。方永望了望那女學生打扮的；但她並不寂寞。她跟她的幾個也是女學生打扮的同伴有說有笑。

方永覺得寂寞。他想，你們不該聽這樣的音樂。年紀輕輕不該聽這凄涼的……他想起在吉隆坡讀小學時老師教他們唱的這隻歌。他那時候不知道 *Auld Lang Syne* 有凄涼的味道。

後來長大，一個又一個、一次又一次分離……我懂得它是什麼味道，他想。孩子們懂得什麼呢？

天真的孩子！他記起老張的孩子們。那天晚上，「平頭裝」大明的咧嘴、耳語，圓臉玉明的彎腰、扮鬼臉，七歲小明的噴飯，呼嚕呼嚕響肚子，「大隻佬」把差利・卓別林當肥雞劏的笑話；一切都那樣可愛、天真呀——連差利本人在內。

音樂還在響。

《尋金熱》裡面，假如流浪漢差利後來不跟愛人大團圓呢？方永吸著煙想。他想起那雪山上的小房子，那白茫茫一片的大雪。他一輩子沒有看過真正的雪。踏著那片白茫茫，縱然你去尋的是金呀，你一定覺得很冷——你會覺得更冷，如果你知道有一天不能大團圓。他心裡突然感到一陣冷。他自己也是去「尋金」的呀，五年的歲月，艱難的歲月。巴西天氣雖然熱，但在這一分鐘裡，他覺得那艱難的五年是從白茫茫的大雪上走過來的啊。

音樂停下來。點唱機不再響。吳瑛，他不再想吳瑛了。

他叫侍者再來一杯咖啡。

第五章

鄭大嫂在廚房裡聽到一聽和二文叫「方叔叔」，便跑到冷巷上來，招呼道：「方永，你先跟孩子們到廳上坐坐吧。老鄭和華姑娘一回來就可以開飯啦。」

「我下午打過電話給老鄭。他叫我告訴你——他今天晚上不回來吃飯。」

原來下午在尖沙咀米奇餐室裡，方永打過電話給鄭康平；他原想約老鄭下班後到他住的旅館去一次，談談明天搬家……吳瑛……還有那筆款子……

「他沒說什麼事嗎？」鄭大嫂問。

「他說同事請吃飯。」

「又是同事！」鄭大嫂的臉一沉沒說下去。

「老鄭說是同事生日還是什麼的。」

「總是這樣突然……」鄭大嫂咕嚕著好像想起了什麼，盯著方永說：「老鄭近來有點——咳！」她嘆了口氣。

門鈴響。她跑去開門。

華玲下班回來了。

她身上穿著的正是大前天方永看過的那襲深棕色的旗袍。那天她穿著平底鞋，但今天她穿的是高跟鞋。

開門的鄭大嫂對華玲說：「華姑娘，我不用你幫手。真的不用你幫手。你陪方先生談談吧……」

鄭大嫂跑進廚房。

華玲跑進房間脱下了高跟鞋趿上對拖鞋就又跑到廳上去。

小廳上，一聰和二文正在聽方永講什麼故事。

「我可以參加嗎？」華玲向方永笑了笑。

「歡迎你講！」

「我參加聽！」

「孩子們説你——故事講得很好。」方永微笑。

「是呀，玲姐姐！」

一聰和二文叫起來。

「那你們不聽方叔叔的啦？」華玲説。她坐下來。

方永繼續講他的《尋金熱》。一聰是看過那套片子的。但二文記得自己沒有看過；他只從哥哥口中聽到差利的大名。現在聽到方叔叔講到雪山，大隻佬肚子餓，眼睛發昏，把差利當肥雞……他笑得嘴巴合攏不起來了。

「方叔叔！肥雞大還是差利大？」二文突然問。

「一樣大呀。」一聰回答，「二文，你看過的嘛！我記得你看過。」

「看過什麼？」二文瞪了他哥哥一眼。

「方叔叔講的！」

「沒有看過！」

「有。那一年我記得爸和媽跟我們一塊去的。」

「哪一年啊？」華玲問。

「我讀一年級那一年。」

華玲說：「一聰，你今年讀四年級了呀。」

「你讀一年級的時候，二文還一天到晚要媽媽抱呢。」方永說，「他那時候大概話還不會講吧？」

華玲忍不住笑。她盯著二文。大家都笑起來。

方永望著華玲，心裡感到一陣子樂。

吃飯的時候，鄭大嫂提起老鄭。她說老鄭近日來精神恍惚；問他是不是公司裡有了什麼事故，他又支支吾吾的答，不肯說出來。

「昨天晚上他不是看來什麼事也沒有的嗎？」方永問。

「那是因為他看見你——多年不見嘛！而且又喝了酒……」

方永一時沒說什麼，突然沉靜下來。

鄭大嫂不經意的提起吳瑛：「方永，你那位吳小姐怎麼樣？……」

默默的望著方永，華玲好像預感到什麼。

方永臉色陡的一變，剛才心裡那點子樂，彷彿一下子就讓鄭大嫂那句話給吹走了。

離開渣甸街之後，方永在電車上盤算：就算我要在香港待下來，哪裡找不到一個房間；為什麼偏偏要住進吳瑛留下來的那個！俗語說，「睹物思人」，那是一番什麼樣的滋味——咳，我這不是自找苦味嚐？他有點後悔，九十塊錢房租加上十元「飲茶」費，一下子就送到二房東黃太太的手上。他心想：我當時幹嗎考慮也不考慮一下呢！

其實，方永當時是考慮過，但是，似乎有哪種形勢迫他非立刻付錢把房間租下來不可——第一，昨天晚上，老鄭夫婦表示過，只要尾房的何老伯不反對，他們是非常歡迎他方永跟孩子們一起「朝行晚拆」的；話雖是這樣說，但那到底不是長久之計；而且，捱了礦山茅棚宿舍的五年，而今手上總算掙到點錢了，人人有面，樹樹有皮，自己「大人大子」（客家語），又怎好同孩子們一道睡在人家的小廳上！第二，黃太太一場好意；她呀嘴裡雖略嫌愛講點人家不一定感到興趣的話，但轉達吳瑛下落的消息於前，給他方永租房間的優先權於後，這樣的人，除了覺得她熱心助人外，實在沒什麼話好說的了。第三，左一個拆遷、右一個拆遷，方永不是不知道；好不容易有這樣的一個空房間，是梗房，價錢又不算太貴，你不租嗎，好吧，明天就叫別人搶去！

跟實際問題較量起來，那什麼「睹物思人」之苦，咳，又算得什麼！感情問題是一回事；但實際問題更是一回大事啊。

這麼樣想著，方永又覺得自己租得好、租得對了。

他這一回倒後悔：剛才在老鄭家裡不跟華姑娘和孩子們多講點關於流浪漢差

利的笑話，或者講點自己在里約熱內盧看過的狂熱的「巴西足球」，直講到老鄭回家。難道現在，又下車再坐電車回到渣甸街去嗎，怎麼行？要是真的回頭去呢……唔，他覺得有點難為情。

這晚上回到旅館，方永對茶房説，他明天退房了。那茶房就是那個年輕的阿炳哥。他今晚上當夜班。

「方先生，是回家去嗎？」他問。

「回家？我的家在很遠哩……」

第二天。

方永手提著他那發黃的小皮箱，離開了這家他一共住過四個晚上的旅館，算是搬家了。存放在老鄭家裡床底下的一點子行李，他暫時不想驚動它……

招呼著方永走進他的尾房去的，是黃太太的女傭阿銀。床有了，就只是缺少一條毯子、一個枕頭；容易辦，方永到外邊買它個新的。回來，不消一會工夫，他就把自己的新居佈置好。他鬆了一口氣，在窗前那張寫字枱前坐下。

他抽了一口煙，望著那空無一物的四壁，心想該添些什麼。

下午一點多鐘，方永到附近買了兩個衣架回來，往牆上找地方掛，給他找到了：兩枚鐵釘。

吳瑛從前留下來的兩枚鐵釘！

把它拔掉吧，像拔掉吳瑛留下來的那個記憶和記憶中的那個吳瑛！

結果呢，他還是把衣架掛上去了。兩枚小釘子，不礙事啊……

但我怎能讓吳瑛一輩子折騰我？他想，我怎能？……

方永皺了一下眉頭，突然下了什麼決心似的，抿了一下嘴——他把皮箱裡吳瑛的照片拿在手上。他恨恨的望著它，用手把它一撕，撕成兩片。

到方永正要把它撕成四片的時候，那扇半掩的門「咿」的一聲，他一抬頭，黃太太已經出現在他的面前了。他的手一抖——

「方先生，你搬來啦？……」黃太太微笑著，把地板上照片的一半撿起來，

「咦……這是——你為什麼……」

「我沒什麼。」方永掩飾地說。

黃太太把那半邊照片拿在手上看了一陣，遞還給方永。好面善的一個女人！她想到了。「方先生，」她驚異地盯著方永，「這是吳瑛！」

方永覺得不能再掩飾了。「唔，是吳瑛……」他手揑著吳瑛的兩個半邊臉孔，呆了好一陣。

黃太太慢慢吞吞的說：「我不知道幹嗎一時這樣糊塗？我竟沒想到你跟吳瑛是……」

這已經不是什麼秘密了。方永把那撕破的照片往枱上機械地放下來。「是愛人！從前是……」說著，他望了黃太太一眼，重重的加了一句，「不止是一場同事！……」

黃太太不是一個心理學家，只是一個上了年紀、普普通通、然而在某些事上又較普通的家庭主婦顯得稍為精明一點的婦人罷了。何況年青時，她由認識她以前的男人起而至結婚止，其間沒有離情、別苦，沒有曲折、顛簸，一切是那樣平淡；她不知道愛情有時候竟是那樣複雜而又豐富的東西：她不知道那些個快樂、痛苦、磨難、幸福，在愛與被愛的一對年青男女的心上佔了怎樣的一個位置。多少年來，她在生活著的那個世界是那樣狹窄。丈夫死後，她獨自面對那些柴米油鹽的實際生活，獨自承擔起把孩子撫育成人的責任。有時候，生活的瑣事會把一個人變得瑣屑而又渺小的；她的眼光只能看見近在目前的事物。然而黃太太覺得自己是偉大的，她認為生活就是無數瑣事堆積起來的一個倉庫。是那樣實際的一個瑣事的倉庫，你一輩子也嘮叨不盡它裡面的東西。對任何事她心裡不存幻想。結婚，生孩子，想點辦法掙錢，起床，吃飯，睡覺，這就是人的一生。叫一個自己年青時沒有經歷過愛情的磨難的人去想像愛情的突然失去時的那份悲哀或者愛情突然獲得時的那份喜悅，是一種苛求。不過，無論黃太太怎樣糊塗吧，當她現在眼望著方永說到他跟吳瑛不止是一場同事那句話而臉上起了一陣痛苦的痙攣時，不能不意識到：自己曾經說過一些不該說的話呀。她記得方永跑來找吳瑛的那天，她自己說過些什麼——什麼嫁雞隨雞，嫁狗隨狗哪，什麼「何況人家現在『隨』了個有錢佬」哪……

「方先生，」她抱歉地望著方永說，「我以前真的不曉得……你不會怪我吧？」

「不會！」方永突然笑起來。他想這能夠怪誰呢？「黃太太，你請坐吧。」說著他把寫字枱前那張椅子移了移。

黃太太坐下來。她打量著方永的房間。

方永從褲袋裡摸出一包香煙。「抽根吧！」

「我很少抽，有時候應酬嘛，我也學人家抽上一兩根。」黃太太接過方永的香煙，說。

方永摸摸褲袋，又跑到床邊摸摸他那套尚未掛起來的甲巴甸大衣，說：「咦？——沒有火柴！」

黃太太叫了一聲「阿銀！」，她向方永笑了笑跑出去。「我去拿！」

她拿著盒火柴到這房間裡來的時候，方永早已把枱上那撕破了的吳瑛的照片塞進衣袋裡去了。黃太太還沒坐下來，就發覺枱上的照片不見了；她假裝什麼也沒看見，心想，說不定方永幾時又把那破照片用漿糊糊貼起來呢！她記得有一回，是好多年前的事了，她丈夫給了她十塊錢買什麼，她一定要廿塊錢，不知怎麼的，兩口子吵起來，她當著丈夫面憤然地把那十元面額的鈔票撕成兩邊，後來呢，還是偷偷的躲在房間裡把破鈔票用漿糊呀沙紙呀糊起來。有什麼辦法呢，你心愛著它！可是現在嘛，她想，要是方永真的這樣……是不對的！

「方先生，」黃太太吸了口煙之後，突然一本正經的說：「恕我講一句……」她又遲疑下來了。

「什麼呢？」方永惑然地瞧著她那胖臉。

「你不會怪我？真的不會？」

「真的不會！你只管說好了，黃太太。」

「方先生，我認為——你不應該再想吳瑛！」

「是不應該，我知道。」方永喃喃的說，「她現在已經嫁了人啦。她給你那封信寫得明明白白……」

「你以為她從前也很……」她在拚命找字眼，「愛你嗎？」

「愛。」方永深深的吸了一口煙，「她從前是真的愛我的。這我知道。要不然我怎麼會……」

「會撕掉她的照片！因為她對不起你，是不是？老實說，我以前一直不知道你跟她那麼要好。我是說不知道你們是愛人。你來找她的時候，跟她講話是那樣客客氣氣的。而且也不常來——」

「我那時候失業。」

「而且我總覺得吳太太，她母親，從來沒有把你看做過她的未來女婿。方先生，你說吧，我沒有女兒，可是，如果我的兒子將來有個稱心的女朋友，她到我家來坐了，我這老人家是不是應該……」她突然覺得找一個適當的比喻是那樣不容易。停下來，她想了想，眼睛突然一亮，「應該最低限度留她吃餐便飯呀。這是人之常情，是不是？」

她沒說下去，要等方永表示意見。

「嗯，你說得對。」方永說。

「可是吳瑛的母親……」

「就是因為她母親，我跟吳瑛才那樣客客氣氣的。我說的是在這屋子裡。」

「難怪我以為你們是普通朋友了。」黃太太插嘴道。

「可是……我們多半是在外邊見面的。」方永說。

「那她母親曉得嗎？」

「曉得，吳瑛告訴我，曉得。」

「這樣說，她母親不大……不大喜歡你啦？」黃太太抽了一口煙，嗆了一下。

「不喜歡。」方永親切地望著黃太太，彷彿從這老人家的眼裡突然看到了慈母的眼光似的；為什麼突然覺得黃太太是那樣可親的呢？連方永自己一時也不明白——這一趟回來，這是第一次有人那樣興致勃勃地跟他談起吳瑛的事啊。「我知道她不喜歡，」方永說下去，「可是吳瑛對我說過，只要有朝一日，我有辦法弄到點錢回來，她老人家喜歡不喜歡，就不是問題哪！我那時候做夢也沒想到，現在……」

「哎，有時候，世事很難說！」黃太太搖了搖頭，一聲嘆息。她用安慰的口吻說：「不過，方先生，自古道：『大丈夫何患無妻！』，何況你現在不比從前了呀，有人品，有學品，又不是什麼窮光蛋，世間的女人多的是，哪裡找不到一個哇？比吳瑛好的有的是！老實說，吳瑛喜歡穿好的吃好的……我看要成家立業嘛，她還不大配你呢！方先生，你是個吃得苦的人呀，想想看，飄洋過海，你都捱得起，可是她……唉！」

方永心想，黃太太有意把吳瑛的缺點誇大，用心就是：叫他把吳瑛完全忘掉！是不是這樣呢？只有黃太太自己知道。

這時女傭阿銀跑來，對女主人說，牛肉麥皮煮好了。

「太太，要不要拿進來？」阿銀問。

「不。」黃太太回頭對方永說：「方先生，你也吃一點吧？」

「我吃過早飯啦。謝謝。」

「我也吃過。」黃太太沒有等方永同意，就說道：「阿銀，你多添一碗。在外邊開——方先生也吃！」

「真的，不客氣呀，我還要去——」

「哎，」她盯了方永一眼，「別忙。我還有話跟你說！」

聽到黃太太臨末這一句，方永只好隨著她到廳上吃牛肉麥皮去了。

廳上桌前坐下來後，黃太太問方永道：「你一個人在外頭很多年了吧？」

方永點點頭。「嗯，記不清多少年哪！」

「那你也真該成家立室囉！」黃太太意味深長地笑了笑，說，「就是『萬事俱備，只欠東風』，是不是，啊？」

方永吃著牛肉麥皮，沒回答。半晌他微笑道：「不容易嘛！」

「我替你介紹一位小姐如何？」

方永一愕。

「黃太太，你這是跟我開玩笑！」

「不是玩笑。老實說，你還沒搬進來，我就有這個意思。那位小姐，人品挺好。哎喲，我這樣說下去，好像我是個做媒的了。不是呀。我只覺得你們在一起，很登對！她不是什麼富貴人家，整天只曉得玩呀鬧呀什麼事也不幹的那種小姐；剛好，你吃得苦，她也吃得苦哩。再說呀，她目前也是出來做事的……方先生，你想看看，如果將來你在香港……聽老張說你做的是——是什麼哇？」

「會計，」方永說。

「對了。將來在香港找到一份職業，慢慢來，那時候一夫一妻都工作，那又多快樂！」

「暫時，我——」

「這又有什麼問題？職業……慢慢來。那小姐嘛，嗯，我還沒告訴你，老張也曉得……她是跟你登對呀。」

黃太太說了好半天，方永也弄不清楚那個「她」是黃太太的什麼親戚還是朋友。方永不想問，也懶得問；他怕一問，麻煩就來。倘然人家介紹過來，你不喜歡，或者大家合不來，那又怎麼辦？他想，對呀，我有那萬多塊錢，我是可以成家立室的。我又何嘗不想成家！年年東飄西泊，孤零零一個，到底不是味兒！老鄭夠朋友，還可以放放行李、搭搭食；但這到底不是辦法。可是，要成家嗎，誰是……

華玲的影子突然閃過他的腦子。他想：如果將來我在香港……

「黃太太，」方永說，「這個……將來再說吧。」

「好的……」黃太太突然靜下來。望著方永，她心裡在盤算著什麼。

方永走出住所，搭上渡海船。

他把衣袋裡吳瑛那張已給撕成兩邊的照片掏出來，再撕它幾片，想也不想的，就把它扔出船舷外，如同扔掉一個不愉快的記憶。

望著那碎片隨風飄散在藍森森的海上，方永心裡不知為什麼，突然感到一陣輕鬆。

三點多鐘，他到了旗昌街找老張，張大嬸說老張剛同孩子去了咖啡店。

方永在星期日跟老張一起喝過咖啡的那家小店子裡找到老張。

方永喝了一口咖啡後，問起大明和玉明。七歲的小明替他父親答：「哥哥和姐姐還沒有放學呀。」

「那麼，小明，你什麼時候才唸書？」方永問。

老張搖頭嘆氣，說找學校真難；還說，他們街坊上就有許多失學的孩童。

「小明，你先回去吧，我跟方先生還要坐坐——」

「老張，你大概要小明也跟我們一樣——做個咖啡客，啊？」方永調侃地說。

「我喝的是茶，方先生。」小明說。

老張一笑。小明站起來，向方永點了點頭：「我走啦！」

小明走到門口，老張又叫他回來。

「到櫃枱去拿件蝦多士給媽吃。」老張說。

「媽不吃蝦多士的！」小明答。

「吃什麼？」

「除了飯，什麼也不吃。」

「去吧。蝦多士。味道不錯，叫媽嚐嚐！」

小明拿著蝦多士走了。兩人談了一會後，方永對老張說：「我現在是你大姨的尾房客啦。」

「那你是打算在此地待下來囉？」老張興沖沖的問。

「嗯。暫時我是這樣打算。」方永答道。

「那以後我又多個朋友，嗯？」

「嗯——有木頭刨嗎？」方永突然問道。

老張會意，笑了笑，但馬上又把眉尖一緊，搖了搖頭：「唔，現在香港地找工作真不容易，我真怕坐食山崩！」

「如果再有一次招人過埠，還來嗎，老張？」

「你呢？」

「為什麼『來由』哦！捱生捱死！」方永感慨地說。

「錢啊！但我也不敢領教了！」老張說，「你去，再回來，還年青；我可就鬍子白啦！」他摸了摸今早在理髮店給剃得滑溜溜的上唇、下巴。停下來，想了一陣什麼，他瞅著方永說：「我看方先生，你也該找個——另外找個女朋友啦！……」

方永心跳了一下，他記起黃太太嘴上的那位「她」小姐。但還是那句話，避免麻煩……他簡直不敢向老張提起、問起。

管她是誰呢，方永想。

「我職業還沒有找到呀。」他含蓄地笑了笑說。

這時老張遞了枝香煙給方永。

「抽根吧，定定神。」老張劃著火柴說。

方永噴了口煙，暗忖道，今晚無論如何要跟老鄭談一次……

六點半鐘。

已經吃完晚飯了。方永和鄭康平打渣甸街走出來，沿著豪華戲院，跨過電車路，走到維多利亞公園的欄柵外；在那條長長的行人路上，他們慢慢的踱著，談著。

「小方，」老鄭說，「吳瑛這次……老實說，我不大覺得意外。」

「為什麼呢？」方永詫異地瞧了老鄭一眼。

「現在既然真的證實她在新加坡跟別人結了婚，我就不妨告訴你。那晚上我說過的，今年二三月的時候我去看過她——」

「嗯，你說過。」方永記得那夜老鄭話說得吞吞吐吐，後來還給闖進房間去的二文打岔了呢。

「看過她兩趟。第一次，在她家裡。」

「就是我現在住的屋子？」

「嗯。她母親先就對我冷冷淡淡。我就知道不妙的了。她呢——我沒跟她談上幾句就走。她的態度不好呀。叫你怎麼說好呢？你問她：『吳小姐，最近有沒有寫信給方永，或者收到他的信？』她就若無其事的『沒有！』——就那樣簡單的一句話。第二次，我以為是因為第一次她母親在場不方便跟我說什麼，就跑上她的寫字樓去見她。哼，」老鄭吸了口煙，嘟噥著，「我那晚上說『不大歡迎』，何止不大歡迎！她簡直不願意見我！傳達進去了好半天，我等了她好半天，來了，她說：『忙！』忙，我老鄭何嘗不忙？」

「這個，你在信上沒說過嘛！」方永說。

「我怕影響你的工作情緒。」老鄭答道，「我怎好讓你知道呢！我當時想，你棲身異地，五年合同總要……嗯，我現在想呀，她那時候已經變心的啦！」

「就因為她不願意見你？」

「嗯。」

「不願意見我的好朋友！變心，」方永嘀咕著，「這是為什麼呢？」

「我起初也不明白。後來我想起來了，有一天我在馬場裡——」

「馬場裡？」方永心裡打了個疙瘩。「怎樣，老鄭你也去賭馬的嗎？」他問。

「同事叫去。順順人家意偶然去一回的。」老鄭嗄著聲說，「小方你先聽我說。那天星期六下午，在馬場裡我看見她跟一個男人——」

「男人？」

「男人。」老鄭瞥了方永一眼，「是還沒到四十歲吧。樣子我記不清楚了，只記得他穿得很漂亮。」

「那麼吳瑛看見你嗎？」方永沉著嗓子問。

「我想，她看見——我那天跟同事剛進場……就碰見了她。她把頭一擰，搭著那男人的手臂溜到什麼地方去，我再沒看見她了。你曉得囉，馬場，人可真不少！」

「我不曉得！我從來沒進過馬場！」方永咕囔著，「吳瑛以前也從來沒聽說去過的呀。老鄭，你呢，以前——」

「小方，聽我說下去。那一天，我就想起來啦。那兩回她幹嗎不願意見我？就因為在這之前，另外有一天，是星期六下午吧，馬場散場，我在跑馬地附近，早就碰見過她一次——可是我當時懷疑自己看錯了；她跟那男人——是我剛才說的那一個吧：同樣是高大的身材……」

這時維多利亞公園已經遠遠的給撇在後邊了。他們兩人走到英皇道上的一個街口停下來。

「算了吧，老鄭，別再提她。」方永把煙蒂頭往地上一扔、一踏，說道：「想不想喝杯酒？」

「喝酒？」

「嗯。心煩。喝！」

老鄭想了想。「好，你既然真有這意思，我就奉陪！可是到什麼地方去喝？」

他跟方永走進那條什麼街去。

商店已經亮燈了。一家士多店，一家賣麵的，再過去是雜貨店……米舖；但哪裡有酒賣呀？

「我帶你去！」方永說。一個電光管招牌在他腦裡一閃。

「怎麼，這兒你比我還熟？你幾時去過——」

「上岸的頭一天晚上，吳瑛我找不到了，就跑來找你，打算喝個痛快，可是沒喝成——誰曉得你們搬走哪！我記得那邊有家小酒家……」

現在，「街市」不遠處那小酒家的電光管招牌正向方永亮著笑眼，彷彿在說：方永，我知道你遲早會到這兒來一次！

方永和老鄭在卡位上坐下來。

老鄭瞥著方永說：「小方，關於吳瑛的事——」

「別說！算了！」方永突然煩躁地叫起來，「夥記！」

老鄭吞了吞口水，想說什麼，但說不出來。

「要什麼呢，先生？」那夥記跑來問。

方永沒等老鄭同意，就說：「先來一瓶啤酒！……喂，夥記，等一等！」這回他壓低嗓子問老鄭了：「要點什麼送酒，老鄭？」

「剛吃過飯不久嘛。」

「沒關係——」他回頭向那夥記叫了碟滷鴨翼。

方永見老鄭突然沉靜起來，他……他向老鄭笑了笑。

老鄭看見他笑，便有了說話的勇氣似的——

「小方，」老鄭沉著聲說，直瞧著方永，「我剛才把吳瑛那些個告訴你，你知道為什麼？」

「為什麼？」

「我想讓你知道她那時候已經靠不住；變心不是一下子變起來的。我希望你很快就把那段『往事』拋開。也希望你這樣想：過去的過去了。」

「嗯，過去了……」

「我就是擔心你——」

「太痴情，是不是？」

「你自己說了哪！小方，我是說犯不著——」

「我不會為她自殺，你放心，老鄭！」

「當然我絕不會想到你會自殺，可是我擔心的是——」

方永哈哈的乾笑了幾聲。

「小方，你看你！」老鄭說，「我知道你心裡這時候很煩。就是這個意思；我不希望你一直煩下去。」

方永突然輕蔑地笑了笑。老鄭摸不透他笑的是什麼。

「老鄭，吳瑛對不起我！告訴你吧，我寄過錢給她……」方永痛苦地說。

哦？匯過款給吳瑛！怪不得他……老鄭想著，問方永：「一共多少？」

方永擰了一下眉頭，盤算著說：「伸港幣大概——一回四百啦、一回五百啦……最後那次最多：一千！總有兩千塊錢了吧？」

你愛一個人，你以為那個人也愛你。那時候方永的情形就是這樣。老鄭想。就算是兩千塊錢吧——兩千塊錢不算多！他望著方永，驀然鬆了口氣，「哦」了一聲。他放了心。

方永見老鄭反應不大，便說：「老鄭，你以為兩千塊錢很少嗎？」

「不。不少。不過那時候你和她……」老鄭一時不知怎樣解釋好。他呷了一口酒。

「最後那一千，哼，我就是正月的時候匯出的，好哇，她風花雪月，跟別人高高興興，我就每一分鐘如一天、每一天如一年的在巴西礦山裡辛辛苦苦的捱！變心我不管，可是她不能把我的血汗錢那樣子……」

老鄭盯了方永一眼，不以為然的說：「可是，小方，吳瑛那時候在名義上說，不是你的什麼人呀，連未婚妻也不是，你當時出於自願，把錢寄給她，這，這又能怪誰呢？」

「那麼，不怪她怪誰？老鄭，照你說，是應該怪我自個兒咯？」方永的臉漲紅著，脖子上的青筋像蚯蚓似的蠕呀蠕的。放下了酒杯，他起勁地吸了口煙。

「怪誰？我，我也不知道……」老鄭的聲音顯得那樣低沉，「總之我認為：就是兩千塊錢吧，你也犯不著……小方，身體要緊。還是那句話：過去的過去了……」

一陣難堪的沉默。方永要再添一瓶啤酒。啤酒算不了什麼。但老鄭知道：方永從來很少喝酒，倘然心裡快樂得要喝它一杯，那可又不同；而現在——他不能不制止方永。

「夥記——再添一瓶！」方永沒理會老鄭。老鄭只好又奉陪了。

二人喝了幾口之後，方永噴了一口濃煙，直瞅著老鄭，突然問道：「老鄭，你這些日子常常去馬場的嗎？」

「誰說的？」

「你自己說的——一次兩次碰到吳瑛！」

「我剛才不是說過的嗎？那是因為同事叫得多就偶然去去，看看熱鬧……」

「熱鬧？可是聽大嫂說，你這些日子有點——」

「有點精神恍惚，是不是？她是這樣說我，可是她哪裡懂得……」老鄭吶吶的說，「小方，那筆款子……」他望著方永，心裡在尋思著什麼，突然停下來。

老鄭到底提起那筆款子來啦，方永想。

「老鄭，」他輕聲地說，「我很想知道真確的數目是——」

「是一共一萬——」老鄭突然掏出一個銀行的存摺來，把它打開放在桌子上唸道：「本來是一萬四千一百二十……元……港幣。這是你的，小方，我圖章都帶來了。今晚上我就想把它交還給你……可是我要跟你說——」

小方的臉一綳。「老鄭，你，你沒有記錯吧？才一萬四千？」

「是一萬四千呀。那就是你五年來前前後後匯到我手上的總額。」

嗯，我心目中是……最低限度有一萬七八千嘛。想著，方永的臉沉下來了。

「小方，我幹了那麼些年會計，這筆款子我還會弄錯嗎？不過……」

我何嘗不是也幹會計，方永默想。

「再說，你自己算一算也就曉得！」老鄭提醒他道。

哎，我可就沒想到今天會跟你老鄭算這筆帳的呀，方永想。「我的錢當時一匯出就算，我沒有一點點記下來！」說著他把那摺子拿起來一看，愣住了。

「怎麼會是……」

怎麼？銀行裡他的存款才只有一萬塊錢？

「小方，我要說的就是——這個，我很抱歉……」老鄭結結巴巴的說。

一萬四千塊錢，方永已經覺得那個了，何況現在實數只得一萬……好一個抱歉！他想。你老鄭一個「抱歉」，我就又平白少了四千，用血汗換回來的四千！他登時氣得臉孔鐵青著，明亮的眼睛眨了幾眨，一瞪——他直瞅著老鄭，嘴唇顫呀顫的，好半晌才迸發出這一句來：「老鄭！你！你怎麼搞的？」老鄭不做聲。

「你說呀，老鄭。你說呀！」

老鄭有這樣的感覺：方永從來沒有這樣咄咄逼人過。錢呀，他想，錢就是那樣可怕的東西！他的目光和方永的銳利的目光碰在一起了。他低下頭。心裡不知道給那銳利的目光刺了一下，還是給那叫做「錢」的可怕的東西抓了一把，他覺得那樣難過。他掙扎著，搏鬥著……他彷佛感到自己體內的血往腦門上什麼地方衝去。突然，他把臉一仰——

「小方，那……那四千塊錢是我用去了的！就當是你借給我的好了……小方，」他喘吁吁的說，「你記得嗎？你以前很大方的說過……」

老鄭把「大方」二字說得特別重。

你瞧，方永想。老鄭竟然用起那「很大方的說過」來做擋箭牌了。不錯，他方永曾經在信上說過這樣的話：

「老鄭，你是我多年朋友，倘經濟上有問題，可以從我那筆款子裡……」但是，那得有個限度！雖然我以前失業，方永默忖道，你著實幫忙過我，但你不能一動就是四千啊；而且要是算起來嗎，又那止四千呢！而且……何況……

「我的確說過，」小方說道，「但……你不是為了搬遷問題……」

「可是我——」

「你把那些拿去賭馬，輸了，是不是？」

老鄭把右手握成一個拳頭擱在唇上，不唧不哼。

「回答我！老鄭，怎麼樣？你說呀你！」

老鄭的拳頭一放——他用手托了托那膠邊眼鏡。他沉鬱地望了對方一眼，用出乎方永意料外的異常平靜的聲音答道：

「是，小方！我，我把它輸掉了。」

「整整四千都輸掉？」

老鄭點了一下頭。「四千都……」

「唉！」方永有氣無力地說：「以後該怎麼辦呢？」

「小方，我慢慢想辦法還給你！」老鄭說。

方永聽到他那樣說，不知怎的，心裡突然亂了一陣。他簡直有點慌起來了。

「不，不，老鄭！」他說，「我的意思是：以後你，大嫂和孩子們會怎樣呢？假如……」

「我知道賭錢很不好，但還是去了……結果呢，就是……小方，原諒我，我以後，不再去！我答應你！」

他是你的老朋友，承認把那些錢輸去；他現在答應你，以後不再去賭。那四千塊錢已經無法挽回它失去的命運了。你，你方永又能說些什麼呢？方永苦惱地想。

鄭康平還是他的朋友，而且的確是曾經幫過他不少忙的朋友啊。

現在方永覺得，不該做的已經做了，剛才自己對老鄭，未免叫人家太難堪點了。

「好吧，老鄭，就希望你以後……」

方永悄悄的把那銀行小摺子塞進衣袋裡。

「還有這個！小方……」老鄭說著把那枚連盒的小印鑑放到方永的手上。

打開小盒子，方永瞧了瞧那石刻的小印鑑，說：「是刻上方永兩個字嘛！」

「我信上告訴過你的啦。反正儲蓄嘛，存戶只要拿著個圖章就可以到銀行取款，所以我就索性替『你』刻個……」

方永笑了笑望著老鄭。老鄭呢，苦笑了一下，盯著那個空酒瓶。

第六章

晚上十點多鐘，阿銀開門給方永。

「方先生！」

方永正待走進自己的房間時，給這四十來歲的女傭喚住了。

「什麼事呢，阿銀姐？」

「太太說有事，請你進去。」

方永還沒有回答，黃太太就打廳上跑出來了。她一點也看不出方永曾經喝過酒來，因為方永這時酒氣全消了。

「我是有點事想請教你。」黃太太說。

「是要緊的事嗎？」

方永覺得有點疲倦，他很想立刻回到房間去睡，但他可又沒把握能夠睡得著。剛才馬場、男人、吳瑛的變心、失掉的四千……這些事實，夾著鄭康平的說話，像回聲一樣，去而復返，此刻還在他的心上迴響著哩！

黃太太把它，那回聲，打斷——

「不……只是一點小事，方先生！」

「那麼明天可不可以？」

「可以，當然可以。」

「那麼——」

「不過，方先生，如果你能夠辦得到，就最好今天晚上。」

方永在通道上躊躇下來。心想，黃太太一請教就可能「請教」你大半個晚上！

「請說吧，黃太太。」方永無可奈何地說。

「是這樣的……」黃太太開始了。她覺得她開始得不好，突然住了口——就索性帶方永到廳上坐下，說：「就是這個。不多，可是我來來去去，算了好多遍，就差三塊六毛錢。」

「就差三塊六毛錢。」方永機械地說了一遍。他盯著燈下枱上的一頁什麼紙。

「不多哦，啊？可我們就是這樣沒辦法，頭腦簡單嘛。方先生你是會計先生，你有辦法，所以我就請教你。」

所謂請教我，就是叫我幫忙，方永想。他心裡覺得好笑。他終於笑出來。

黃太太看見他笑，認為他是樂意幫忙了。她笑得連那兩道在跳呀跳的稀疏的眉毛也快要從那胖臉上跳下來了。

「方先生，你們做數的跟數目真有緣分，一看見它，就那樣開心的……」

不開心也得做呀，方永想。他把枱上那頁紙一看，是一頁銀碼不大的簡單的進支帳，笑了笑，他就用鉛筆點呀點、劃呀劃的做起來。黃太太問要不要算盤，方永搖搖頭，沒做聲。

黃太太在旁邊看著方永那股「做數」的精神，若有所感的嘮叨著：「鈔票呀，誰不愛？可是看見這些個數目字，我們就好像水和油；你們呢，就簡直『糖黐豆』了……」

聽到「水」和「糖」，方永就覺得口渴。何況今晚上他在外邊喝了酒呢。

「不客氣，黃太太，」方永抬頭問，「你們有咖啡沒有？」

「對了，我忘啦。聽老張說你們都喜歡喝咖啡！」黃太太表示歡迎說，「我們家裡沒有。可是很方便嘛……」

她吩咐阿銀馬上到外邊餐室叫一杯咖啡和一杯阿華田回來。

咖啡還沒有送來，方永已經找到那三塊六毛錢的差額了。

「哎喲，可不是！」黃太太嚷起來，「八塊四毛錢，我當它四塊八毛錢算……還是你有經驗！」

「不不，我好運氣碰到那八塊四罷了。」方永說。

是真的好運氣？他想。好運氣，我就不會失掉吳瑛，失掉——還有那四千塊錢！

現在，黃太太喝著阿華田，方永喝著咖啡。二人拉雜地談了些什麼，之後，黃太太問方永：

「方先生，你打算寫信給吳瑛嗎？」

方永搖搖頭。

黃太太想起了什麼。「那麼，你可不可以替我寫幾個字？你們撩幾筆很快的。我可就——千斤重啦！」

她瞧著方永。方永皺了皺眉頭，沒有立刻回答她。

第二天上午十點多鐘。

方永穿好衣服，剛剛踏腳出房間，通道上迎面來了黃太太。

「方先生，早晨！」

「早晨。」

「你到外邊吃飯？」黃太太問。

「嗯。」

「嘖，多不方便！不如就在我這兒開飯吧。」

「可是我——」

「方先生，你放心。你是老張的朋友，我把你當自己人看待，不會多算你什麼的。嘻嘻，反正工人我有啦，很方便，只要你——」

「謝謝你，黃太太。」說著方永衷心的一笑。心裡突然有說不出的溫暖。「可是……我在朋友家裡吃。」

「香港人情紙樣薄！可不容易呀……付多少錢？」

方永想起那幾千塊錢，心裡驀然一沉。

「是多年朋友囉，無所謂付多少錢。」方永說。

「那他一定是個大好人！你的好朋友，啊？」

好朋友，唔，有時候也會變成不怎麼「好」！方永心裡唸叨著走到大門口。

「他……」方永低聲説，「好！……」

黃太太一直忘了一件事，直到阿銀打廚房裡跑出來，她才醒悟什麼似的，叫起來：「方先生，喝了咖啡才去吧！」這時方永手已往門上一搭，聽黃太太那樣説，就回身過來，笑了笑道：「咖啡，我通常下午以後才喝的！」

「可是阿銀已經煮好啦。」黃太添了一句，「方先生，我是為你煮的呀。」

「吓？」方永一怔，先措地呆在門邊暗道：幾毛錢一杯咖啡，何必呢？……我隨時喝得起！但他又想：人家到底一場好意啊。「黃太太，」他説，「你真是……」

方永終於在廳上的一張舊梳化上坐下來。

「黃太太，我真不好意思，這樣麻煩你！」

「什麼話！那三塊六毛錢，唔，而且又……我昨天晚上才麻煩你呢！」

黃太太的話比咖啡還強——一下子就塞住了方永的嘴。

「很香呀。」方永喝了一口咖啡。

「可不是，很香呀。」黃太太唸唸有詞道，「到外邊去喝不一定有這樣好！今早阿銀説，昨天晚上幹嗎不叫她煮。我不曉得呀，我搶白她一頓。我説，廢時失事，而且，你會煮，人家還用得著開咖啡店嗎？你猜她怎麼説來著？她説，她從前的男人行船走埠，也在外洋什麼地方捱了好多年；回來，就天天嚷要喝咖啡；說，她就是那個時候學會自己煮咖啡。煮得一手好咖啡。」

「哦？」方永又喝了一口。「是煮得很好。」他把咖啡往小几上一擱，「咦，黃太太，你怎麼不嚐嚐？」

黃太太擺了擺手。「受不了。我以前喝過一次，一整夜沒睡過。」

方永抽上根煙，問：「抽根吧？」

黃太太搖搖頭。剛才的那個咖啡故事她還沒說完。「我就叫她去買一罐回來。」黃太太往下說道：「在廚房裡，阿銀開了那咖啡罐，一聞，我說很香呀。你猜她怎麼來著，忽然流起眼淚來。我就氣啦。說，阿銀，你無端端怎麼哭起來？我就罵她一頓。你曉得我不輕易罵工人的。人心肉做嘛！阿銀說，太太……她對我說，她的男人後來連幾毫子的咖啡都喝不起哪。戒了咖啡，戒了煙。說，什麼都戒了。找不到事做。又去行船過埠。一去就再沒有回來咯。說，在外洋病死啦，真是，哎，連葬在什麼地方也不曉得。我，我心腸軟。我看見她那樣子，我也……沒有男人的女人都是命苦……」

黃太太突然用手絹抹了抹她的眼睛。

沉默，方永心裡突然給什麼壓著似的感到一陣不舒服。

但沉默只保持了一分鐘。黃太太很快地又跟方永談起別的什麼來啦。

「你兩頓飯都是在朋友家裡吃的嗎？」她問。

方永答「是」。

「但你昨天中飯沒有去！……」黃太太自言自語，好像意識到方永在說謊——最低限度那「是」，有一半是謊。

啊？一個上了年紀、死了丈夫的婦人有時會那樣不放過一點點小事？還是無聊呀，那空白的心靈，要填進點哪怕是最瑣碎的事？

黃太太那份關注，多多少少叫方永起了疑心。他吸著煙瞅著這臉胖身圓的二房東。她是老張的大姨，也是吳瑛以前的二房東，老張現在是我的朋友，吳瑛以前是自己的愛人，方永想，這就是黃太太那過分關注我的原因吧？難道人家會把我那一萬塊錢搶過去麼，真是！

方永笑了。

「方先生，再添一杯吧。」黃太太堅持地說。她叫了一聲阿銀。

第二杯咖啡喝完。方永聽到黃太太那樣問：「你的朋友姓什麼？」

「姓鄭。」

「住在什麼地方？」

「對面海。」

「對面海哪兒呀？」

「銅鑼灣。」

「銅鑼灣？」黃太太說，「他做什麼工作的？……」

老鄭以前也到過這兒來看吳瑛呀，方永想。他不盡不實地回答了黃太太那些沒頭沒腦的問話。

「可不是！銅鑼灣太遠啦。」

方永知道她要說什麼。「說好了嘛，不好不去；要不然，人家老鄭以為我不滿意他們什麼啦，是不是？」

黃太太點頭。「可是，今天這一頓飯你就在這兒……」

方永婉轉地推辭。他站起身來。

「記得嗎，那天你說有事，現在可沒有事了吧？」黃太太覷視著方永。

嗯，是的，他說過。上岸頭一天，他跑來找吳瑛……黃太太記得真清楚！「不過，」方永說，「我實在——」

「好吧好吧，」黃太太笑了笑，想著什麼，「那麼，星期六，怎麼樣？」

「我……」方永實在不願意找麻煩。他想，誰知道以後跟著的又是什麼呢？……

「一頓家常便飯嘛。你不想見見國平嗎？」

「國平？誰是國平？」方永問。

「我那個兒子呀。星期六下午他會回來。我打電話叫他回來：那麼，方先生你——」

「好吧。我見見國平。」

方永走到門口。黃太太說：「你喜歡一點鐘還是晚上——」

「你自己決定吧，黃太太。」方永不大熱心地說。

「那就一言為定。下午一點鐘。別臨時忘了呀……」

方永走後，黃太太回到廳上搖了個電話到她的兒子在讀書的那家學校去。對方回答，現在是上課時間。於是她就又搖了個電話到另一個地方。

「你是白妹嗎？」黃太太提高嗓子問。

方永離開這屋子後落到街上時，心想：假如我有一個像黃太太這樣的母親，她整天在你耳邊說這問那，我會怎樣呢？我會不會像國平一樣……

也許會，也許不會。方永不能肯定。因為他從來沒有過那樣的經驗：逃避母親。在模糊的記憶裡，他母親是一個溫柔、沉靜的女人。

方永走進米奇餐室吃飯。

第七章

銅鑼灣京華戲院的兩點半場電影散場，他隨著別的觀眾跑出來。他踟躕地走在渣甸街上。已經跑過那片喧鬧著買菜賣菜的人聲的菜市了，他還是決不定到不到鄭康平家裡去。經過昨夜小酒家裡和老鄭算帳那回事，方永實在覺得自己和老鄭之間的友誼不再那樣純粹，已經滲進純潔以外的什麼雜質了。多年以來，他相信自己是個老實人，老鄭也是個老實人。但現在他可不那樣想。從前是從前，現在是現在。從前他一直相信，吳瑛是自己未來的好妻子；而現在他知道：吳瑛甚至不是他的忠實的愛人，從來不曾是！嘮嘮叨叨黃太太有一點倒也說得對：世事，人心，很難說啊；「誰不愛鈔票呢？」這是一個金錢比人還貴重的世界，他想。為了金錢，人可以踢開多年的友誼，人可以……出賣愛情？

在這幾分鐘裡，方永甚至懷疑所有人和人的關係了，他不想踏進老鄭的屋子去。連老張——他以後也打算不跟老張經常來往了。來往，又有什麼好處呢？在這金錢的世界裡，誰不先想到自己然後才想到別人！誰知道對方打自己什麼主意……

他打渣甸街跑出來，走過電車路。一家賣收音機、唱片的店子，這時正播放著一隻什麼樂曲。它落進方永的耳裡，彷彿第一次才對音樂發生那樣好感似的，他停下來想，假如我有一個唱機，買它幾張唱片，把自己關在房間裡，我就可以誰也不跟他來往了。

他想到書籍。一本自己喜歡的小說不是也可以把自己關起來——關在那忘記「外界」的一個幸福的門裡嗎？

一本小說總比一隻唱機、一張唱片便宜，但問題還不完全在於哪樣便宜。方永有過讀小說的興趣：遠在吉隆坡讀書的時候，他就讀過不少中文小說的了。在賣唱片那家店子鄰近，他找到一家書店，他買了一本叫做《寒夜》的小說，作者：巴金。那名字像對吉隆坡的華僑青年一樣，對方永是一個怎麼樣也不太陌生的名字。

方永沒立刻回到尖沙咀那邊去，他摸了摸後腦殼，夾著那本《寒夜》走進一家叫做「XX」的美容院坐下來剪髮。

把自己關起來嗎？不能。他碰見熟人——可以說是熟人了；替他剪髮的那個理髮師也是幾年前給「招」過巴西去捱過酸甜苦辣的。他曾經替方永在礦山的茅棚裡剪過髮。當時棚中要這「師傅」剪髮的礦山夥記是那麼多，但他一下子就叫得出方永的姓來，方永卻連認也差點認不出他是誰了。方永自己不明白為什麼。

他怔怔的望著對方。

那理髮師把那雪白的圍巾在他的身上用夾子夾好之後，笑了笑道：「方先生，你那時候是我們的『先生』啊，有什麼不認得呢？……我叫譚——」

「哦，譚師傅！我記起來啦！」方永一笑，「怎麼？你這樣快就找到工作吶？」

「我以前就在這店子幹過好久的！我前天到這兒來探老闆和舊時的夥記——昨天就上工，呃，是大家對我好……」

從方永頭上的髮到方永本人的生活近況，那譚師傅熱情地問長問短。他高興得像遇見一個多年朋友似的剪著髮講著話。他的熱情，他的高興，很快就向方永證實：人家不一定要打你什麼主意才向你表示關心的。

有什麼理由懷疑人和人的關係呢？一些可愛的臉孔、可愛的人與事突然又在方永的心裡復活：以前自己失業的時候，老鄭……

方永理完髮跑出來後，又踅回渣甸街。

但當他摸上二樓，正要按鈴的時候，突然一轉念，又把手縮回。

不能！我，我不能見老鄭！他心裡説。

是我小氣嗎？方永問自己。

不是小氣……他自己回答。如果小氣，昨天晚上我就不會原諒他了。就是因為事情才發生在昨天晚上啊！

他覺得老鄭把他那些錢是輸去了也好花去了也好，那是老鄭不對。辛辛苦苦掙來的血汗錢！以致於因為錢，他昨天晚上把老鄭質問得啞口無言，臉上一陣紅一陣白，那是自己過火啦。真是過火嗎？唔，血汗錢啊！好吧，無論誰對誰不對，看在多年朋友份上，看在大嫂和孩子們份上，他應該如常到鄭家去。但問題是——是面子問題嗎？不是，是他跟老鄭吵過呀，那是鐵一樣的事實。大家心裡有了芥蒂，見面嘛，就不會愉快；就算笑吧，也一定笑得勉強；彼此除了尷尬相對，還有什麼！……他想，過幾天，把昨天晚上的事淡忘了才説吧。

方永想著跑下樓梯。

可是，在樓梯口他遇上挽著個手袋，正下班回來的華玲。

「華姑娘！」

「咦，方先生，你走啦？」華玲微笑著。

「我——」

「還沒有開飯嘛！」

「還沒有……可我突然想起在朋友家裡……忘了一樣東西。我去拿。」

「那你趕回來吃飯吧？」

「來……來不及啦。」

方永走了。華玲上樓去。

方永走到街口的時候，突然停下來，不知道該跑到哪兒去。搭電車嗎？還是到附近的飯店，或者……

他想還是應該回到老鄭家吃飯去。

可我剛才對華玲說過來不及的呀……他想。嗯，有啦。到附近的「燒臘枱」買一包叉燒、油雞什麼的回頭去！

結果呢，方永還是在外邊的一家餐室裡吃晚飯。

這一晚在老鄭的家裡，開飯的時候，鄭大嫂問老鄭：

「方永不來，你知道為什麼嗎？」

老鄭搖搖頭，沉默著，在想什麼。

在旁的華玲詫異地問道：「方先生剛才沒有進來嗎？」

「沒有呀。」鄭大嫂答道。

華玲說剛才在樓梯口碰到方永下樓。「他說忘了什麼東西……去拿。」

「也許，他到了門口臨時想起來的……」鄭大嫂說，「那我們等一會吧。」

「不用等啦！他不會來！」老鄭啞著聲說。

「是呀，」華玲對鄭大嫂說，「方先生好像是說，今天晚上不在這兒吃飯的……」

鄭大嫂問老鄭：「你怎麼曉得他不會來？」

「我想……」老鄭頓了頓，「華姑娘不是說他去……拿……拿什麼嗎？」

第二天，星期五，鄭康平在公司裡悶悶不樂的想：就為了那四千塊錢，方永連飯也不來吃了。我該怎麼辦？我是不是應該……還是到澳門去一趟呢？

黃昏，他怏怏的回到家裡。

門開，他的妻子對他說：

「方永在裡面……」

鄭康平很感意外地叫起來：「怎麼？真的來啦？」

「這……這有什麼大驚小怪的？」鄭大嫂把門關上，「方永還買了一包油雞滷味來。」

「吓？」老鄭呆了好一陣。

「嗯，他說——『加料』請大家吃。」鄭大嫂說著走開了。

老鄭跑到廳上。看到方永和一聰、二文、華玲在一塊坐著談話。

第一個看到老鄭進來的是二文。

「方叔叔，爸回來啦。」他扯了扯方永的袖子。

抬起頭，方永望著老鄭。他預期老鄭會對他講句什麼。

「小方，你這樣客氣，大嫂說你買了包東西來！」老鄭說。

「沒什麼。我還沒有請過大家……」

「爸，方叔叔今天請我看電影。」那六歲的二文說。

「你一定纏著方叔叔說要看電影，是不是？」老鄭問他的兒子。

「不是！方叔叔請我去。下午來請我去的。」

「真的？」老鄭問方永，「你跟二文一塊看電影來？」

「下午兩點半場，嗯。」

老鄭笑了。方永也笑了。

方永遞給老鄭一根香煙時，很快地瞥了華玲一眼。他想，要不是昨天在樓梯口碰見華玲，他今天來不來還成問題。但現在呢，一包帶來的油雞、滷味，一場請二文看的電影，不是已經證明他方永自動跟老鄭「和解」了麼？

華玲不明白方永那一瞥的用意。她笑了笑，就跑進廚房去幫鄭大嫂忙了。

「方叔叔，」一聽突然叫道。

方永盯著他。「嗯——」

「你請阿蚊仔看電影不請我去？」

「又叫我阿蚊仔！嗡嗡聽！」二文也叫起來。

「什麼嗡嗡聽！」一聽瞪著他的弟弟。

「你到學校唸書，我沒書唸。方叔叔不請我，請你啊？」二文叫得更大聲，

「嗡嗡聰！」

「別吵！」老鄭做了個手勢嚷道。

一聽悄悄的對方永說：

「方叔叔，明天星期六……」

第八章

星期六下午，一點鐘還沒到，方永就聽到有人敲門。他放下了書，開門。是黃太太。跟她一起站在房間門口的還有一個十五六歲的少年。

「這是我的兒子國平。」黃太太介紹道。

國平的頭髮剪得短短，身穿一件藍絨外衣，白襯衫反在衣領上，腳蹬著一對籃球鞋。他的身體很結實，以他的年紀而論，個子不算高，但也不算矮。

方永向他點頭笑了笑。「我聽你母親說過你啦。」

國平靦腆地笑了笑。

「叫方先生呀。」黃太太盯著兒子說。

一聲「方先生」就沒有下文。

「你不是說要參觀方先生的房間的麼？」黃太太說，「你嫌這兒不夠清靜。你聽方先生怎樣說——這兒夠清靜！」

方永招呼母子倆進了房間。國平在椅子上坐下來，黃太太不肯坐。她說她馬上要走了。但可沒有立刻走。

「你看你，」黃太太對兒子說，「在生人面前就話也不會說一句的，真沒『志氣』！可在我面前你就『耀武揚威』！」

「我幾時耀武揚威過？」兒子說。

「那就『威風凜凜』——你說我嚕囌嘛。」

「我幾時說你嚕囌？」兒子又頂撞一句。

「你嫌我嚕囌。我知道你嫌。」

「我幾時嫌——」

「嘖嘖。方先生你看他是不是只曉得衝著我——耀武揚威！」

方永看著他們母子倆，忍不住笑。「黃太太，我看國平挺不錯的。他沒有耀武揚威。」

「逞能！那就是！他常常欺侮我……」

「媽，你說了好半天，可不可以讓我跟方先生談談？」

「好吧，你們談談，」黃太太說，「我去看阿銀豬肉湯煲好了沒有。」

黃太太走了幾步，又回過頭來說：「方先生替我教教他。」

方永沒説話，只是笑。

黃太太又對兒子説：「問問人家方先生怎樣對待母親吧！」

「我對母親非常不好！」方永咧嘴一笑。

黃太太走後，方永突然收斂笑容。「可惜我母親早死了。有母親照顧你，是幸福的。我這樣説，你同意嗎？」方永説著簡直把國平當做成年人了。

「同意。」國平突然低聲説，彷彿怕給誰聽見似的，「我母親好嚕嗦！」

方永又忍不住笑。他想起他跑來看房間的那天，黃太太説的話……

「這是你的寫字枱……床……」方永説。

「嗯。」國平笑了笑。稚氣的臉上那雙天真無邪地看人的眼睛，又叫方永覺得他是個孩子了。

但這孩子，或者説少年人吧，好像很懂事——他問方永對他母親的印象如何；又怎樣會租成這房間的；從什麼地方來，以前在哪裡讀書。

他跟方永談得不少。説學校裡哪個教員和氣哪個嚴厲，説到打籃球。

「你喜歡踢足球嗎？」方永問。

「喜歡呀，我是學校的——」

「選手，嗯？」

國平點點頭。

黃太太跑來。「豬肉湯煲好了，」她說，「你們先到外邊來喝喝湯吧。」

在通道上，黃太太邊走邊問方永：「你們好像談得來嘛。國平一定告訴你我什麼什麼啦，可是？……」

方永和國平在廳上坐下來喝湯。黃太太在旁盯著她的兒子默默出神。半晌她對方永說：

「我叫他最少每星期回來一次喝些湯水。學校裡哪有什麼湯水。他總是不聽話。有時候兩三個禮拜也不回來一趟，好像媽是什麼人似的，說媽不好。媽不好？唔！」她回頭直瞅著國平，「不是我這老骨頭，你才賤哩！小小年紀就沒有了爸。」

「媽。算了吧。」國平抬頭說。

方永喝完了湯，讚了一聲：「煲得真好，黃太太！」

「可不是！阿銀煮咖啡是不錯，可是煲湯嘛，我不在旁指點指點怎麼行？……」

國平用手絹抹了抹嘴，不耐煩地說：「媽——怎麼白妹姐還沒來？」

白妹姐？方永心裡一跳。他記得星期三，他搬來的頭一天，黃太太說過介紹一位小姐給他的。難道那白妹姐就是那位小姐？

黃太太望了一眼那放著觀音瓷像的神枱旁邊壁上那個大圓鐘。

「是呀，已經點半鐘啦，白妹還沒來。」她沉吟地說。

方永心裡感到不安：黃太太一定是利用這「自然」關係，把那「白妹」小姐介紹給自己了。他瞅著黃太太，想問句什麼，但又不大敢問。

黃太太彷彿看穿了他的心事，笑了笑。「哦！」她向方永解釋地說：「自己人嘛。反正今天星期六！我好久沒有見過白妹啦，就叫她一塊吃頓中飯。多一個人吃嗎，比較熱鬧點呀，啊？」

「嗯。」方永只好這樣表示。

一點四十分了，門鈴響。

黃太太走去開門。

方永聽到——

「白妹，你這時才來！」黃太太的聲音。

「姑媽！星期六搭船不容易……」那個叫做白妹的聲音。

熟悉的聲音，方永想，太熟了！

可不是！同黃太太進來的是華玲啊。

怎麼會是華玲？目瞪口呆地望著華玲，方永心想：黃太太那天要介紹給自己的就是她？「你們在一起很登對……」他想起黃太太那句話，不覺臉一紅。

「來，來，我介紹——」黃太太說。

「華姑娘，你……」方永說。

「咦，方先生，你跟我姑媽熟的？我一直不知道。」

「怎麼？」黃太太叫起來，「你們認識的。」

「嗯。我那朋友老鄭就是跟華姑娘——」

「同屋共住！」華玲答道。

「白妹姐！」國平站起身，招呼他的表姐華玲坐下來。

「喂，國平，好嗎？」華玲向她的表弟笑了笑。

「好。你好？」

華玲點點頭。她淡淡的一笑。望著方永。

「我就住在這兒。」方永說。

「哦！原來你就住在我姑媽這兒……」華玲說著瞥了黃太太一眼。

「怎麼？」黃太太說，「你們，你們很熟絡嘛。我還說什麼介紹……」

華玲不明白那「介紹」的內容；方永明白。華玲答道：「我跟方先生和鄭先生他們晚上那頓——同枱吃飯的呀。」

「這又奇怪啦，你可不曉得他住這兒？」黃太太說著望了望方永。

「這有什麼奇怪，我怎好問人家。」華玲說。

事實上華玲只知道方永住在尖沙咀；但尖沙咀什麼地方卻不清楚。因為方永對老鄭他們說時是：他搬到吳瑛從前那個房間……

黃太太叫阿銀開飯。

十分鐘後，大家圍桌坐下來。黃太太告訴方永：華玲是她的侄女——她唯一的哥哥的女兒。

「那麼老張是——」方永望了望黃太太，又望了望華玲。

「是呀，我忘了叫老張他們來。」黃太太說。

「老張是我的姑丈。」華玲對方永說。

「嗯，那做木師傅是華玲的『二姑丈』呢。」黃太太說。

「黃太太，我現在才曉得你姓華的。」方永說。

「姓華的，嗯，我小的時候，白妹的爸爸對我這個妹妹很不壞呀。我們兄妹倆很少吵架……」

黃太太帶著回憶往事的神態，望著華玲。

「你叫白妹，華姑娘？」方永笑笑說。

華玲抿嘴一笑，那烏黑的眸子轉了轉，瞧著她的姑媽。

「是呀，媽，」國平問他的母親，「白妹姐為什麼叫做白妹姐的？說起來呀，我也不知道。」

「說起來呀——」黃太太夾了一塊雞肉給方永，又夾了一塊給華玲。「這一塊好，唉呀，別客氣咯……國平你自己來，我不管你。說起來呀，」她說下去，「白妹很小的時候，還不會講話，人家就叫她白妹囉，是不是？」她問華玲。

華玲不響聲。點一點頭。

「她那時候還不會講話，怎麼知道得那樣清楚？」國平問。

「傻子！後來聽人家說嘛！」黃太太說。「就因為阿玲，唉，我叫不慣——阿玲，」她對方永說，「皮膚白白，大人們都喜歡摸摸她的臉孔，很白很白，白妹白妹的叫起來，從小叫到大啦！」

方永望著華玲。華玲羞澀地笑了一下，低頭夾菜。

「白妹姐，」國平突然對他的表姐說，「沒見你好久啦。」

「好久啦。」華玲答道。

「有個把月囉！」黃太太說。

「嗯。」華玲抬起頭。

「我放暑假的時候，你來過一次。我記得那天我們去看過一場電影。」國平說。

黃太太瞅著國平，呶呶嘴。

飯後，國平提議大家看電影去。黃太太說有事不能去。

「你們去吧。」她向華玲和方永笑了笑。

三人臨出門，黃太太提高嗓子說：

「國平，別讓方先生和白妹姐買票子呀！」

但到了景星戲院，票子還是讓方永爭先買了。

散場，三個人打戲院跑出來；國平說要去找他的同學。

方永說：「國平，你別忙著走呀。」

國平走了幾步，回身過來：「什麼事呢？」他笑了笑。

「一塊喝茶去。」方永拍了拍他的肩膀。

國平心想：人家方先生請了電影，現在叫喝茶，自己怎好意思不去？他咬了咬唇皮，說：「好吧。」他預備這回做東道。

「喝茶，你不反對吧？」方永望了華玲一眼。

華玲笑笑，默不作聲。在老鄭家裡，她聽說過，方永下午那杯咖啡是免不了的。她想國平也答應去啦，她不去，很掃人家的興嘛。

米奇餐室裡，一個「企堂」跑到方永他們的卡位去。

「咖啡，方先生？」

「咖啡。」方永笑了笑說。

「紅茶。」國平說。

華玲想了一陣。「橙汁吧。」

「你是這兒的熟客！」華玲對方永說。

方永點頭。

三個在談論著剛才那場電影。國平說那個女主角不應該自殺。方永同意國平。

「可是她太孤單了。她的愛人這樣慘死。」華玲說。她臉上有一個憂鬱的笑，突然沉默起來。

「我們談這些做什麼？」國平很懂事似的說，「那是演戲呀。不是真的。」

「要是誰都像你這樣想，那麼看戲看小說還有什麼味？不過她是應該活下去。」她對兩人笑了笑，嘴角那兩條可愛的弧線又出現了。

國平一下子就把紅茶喝完，喝完他才省起不該喝得那樣快。他瞥著方永那杯咖啡。方永彷彿懂得他的意思，說道：

「我說過——是我請喝茶，你有事，不客氣！」

國平望著華玲。華玲不做聲。

「白妹姐我走啦。」國平站起身來。

「明天有空嗎？」華玲問。

國平搖頭。「旅行！」他笑了笑走了。

留下來的方永和華玲彼此望了一眼。有半分鐘的沉默。

國平不該走的，華玲想。她用飲管慢吞吞的啜著那杯橙汁。

方永抽著煙在沉思什麼。他記得那晚上華玲說過：和平後她在姑媽那兒住過一個時期。

他說出來。

「你記得我說過這話？」

方永點頭。「你那時很小吧？」他問道。

「不小啦。」華玲溫柔地一笑。在盤算著什麼似的，她用右手的食指往左手食指上點了幾下。「一九四六年……十二三歲啦。」

「一個人住在姑媽那兒嗎？」

「一個人。」

「你姑媽供你讀書？」方永問。

「我舅舅。」華玲說。

「可你不住在你舅舅家裡。」

「他半輩子在外洋謀生。是個華僑。我好容易才見過他一兩面，他就又回到庇能（檳城）去。」

「庇能？打吉隆坡坐車可以直到那兒去——很方便嘛！」

「我舅舅那時說，到我讀完中學就把我接到庇能去。我讀的是英文書院。但現在舅舅已經過身啦。早過身啦。我還在讀書的時候，他在那邊因為生意失敗，不堪刺激，突然——心臟病復發；我記得那天，我接到舅母和表哥他們來信說……」

「嗯，那時候馬來亞正是錫呀橡膠呀慘跌……」方永突然一頓，「好多人就是這樣倒下來。那晚上，你聽老鄭說過的啦，我父親就是……」

「嗯。」華玲感觸地說：「鄭大嫂說，你好多年一個人在外頭跑。」

「我知道你也是一個人——」

「唔。父親是和平後回到香港來才病死的。我們在內地逃難，逃難，從曲江逃到衡陽，從衡陽逃到桂林，從桂林逃到獨山，後來才到了昆明。」

「我沒到過內地，但聽說那時候的抗戰政府很不行！一切亂糟糟！」

「簡直糟透了。」華玲嘆口氣，「哪裡是抗戰！大官貴人自己『刮龍』呀包火車呀汽車呀先逃。然後是軍官！輪到老百姓逃的時候，可就狼狽啦；我可不曉得誰把仗打勝的，可是我敢說，真正打仗的，不是那個所謂抗戰政府！逃難的時候，我雖然還是個小孩子，可是我也懂得很多——我爸爸的身體就是那樣逃難逃垮的！媽路上發瘧疾，逃難死！我哥哥……」

「你還有一個哥哥？」

「嗯，」華玲點頭說，「我哥哥那時候是汽車司機，開的是『木炭』車呀。誰都知道，抗戰期間，一個汽車司機，生活上比一個大學教授還有辦法；大學教授賣故衣是平常事。再說，有故衣賣，已經好啦。有一回，我哥哥出差到重慶去，路上遇到日本飛機空襲，給……給炸死了。」她望著方永，眼睛閃了一下淚光，重重的說了這一句：「像你妹妹一樣，也是給炸死的！」

戰爭！不希望再有一次戰爭！方永想。戰爭是那樣可詛咒的東西。他記起那天早上旅館裡他做的那個可怕的夢。他想起巴金的《寒夜》，那以重慶為背景的故事。他沒有直接經歷過抗戰期間內地一般人所過的生活、所碰到的不幸的遭遇，但在吉隆坡，他嚐過淪陷區當「順民」的苦味……戰爭在這兒在那兒，都一樣可怕。妻離子散，家破人亡，誰能倖免？誰無父母？誰無兄弟姊妹？誰不為自己的親人的死亡痛心？為什麼侵略——揭開戰爭的序幕？戰爭，可恨的戰爭。我要的是和平，方永想。華玲要的是和平。和平到底是可祝福的，他想。這兩天，他差不多把《寒夜》一口氣讀完了。他不希望再有《寒夜》那樣的事情發生。他問華玲喜歡不喜歡小說。

華玲說道：「相當喜歡……」

方永介紹他看巴金的《寒夜》。

「我讀過《家》。我先看到一部粵語片『家』呢……」

方永心想，他從來沒有像此刻那樣接近過華玲。他覺得華玲可以跟自己談得來。他需要一個這樣的朋友。相同的命運，像一根線，把他們繫在一起。戰爭傷害過自己，也傷害過華玲。

方永吸了口煙，問道：

「你姑媽約你今天來……事前沒告訴你有一個『生客』——我嗎？」

華玲搖頭。「星期四那天，就是我下班在樓梯口碰見你那天，我姑媽打了個電話到寫字樓給我。她說請我吃飯。我問有沒有特別的事。她說，很久沒見過我，想見見我。」

方永微笑，也想什麼。驀然問華玲：

「既然你一個人，幹嗎不住在你姑媽那兒呢？」

「相見好同住難呀。我就搬出來……」

「你覺得她不容易相處，是不是？」方永率直地問道。

「我很難肯定『是』或者『不是』。」華玲回答。

「是……嚕嗦，啊？」方永會心微笑地說。

「不完全因為這個。」華玲說，「她相當關心我的呀。我現在這樣想。」

「但你當時不那樣想。」

「有一點點，但也不完全是。我那時候才十五六歲，還在唸書。她整天在我面前提起……」華玲臉紅起來。

方永會意，笑了笑沒做聲。

華玲用黃太太的口吻說：「白妹，在這年頭，找生活不容易，女兒家嗎，就是讀飽書出來，又能做什麼？還是讓我說一句——我姑媽，她叫我早點嫁人算了。」

「可是你沒有聽她的『勸告』！」

「我努力找事做，從學校出來……之後，我就弄到現在這位置。」

「你當時對，你姑媽不對。」方永說。

「她有一半錯，可是我也不全對。」

「啊？」

「她關心我——那是她的心。可是她『過分』關心，就叫我怕了她。我那時候就是這樣想。」

「現在可不啦？」

「我找到事做嘛。我能夠獨立。她叫我嫁誰，我可以反對。我覺得她不是那樣可怕。她到底是我的姑媽呀。」華玲噘著嘴說。

「她現在說你好，說你捱得苦，有工作能力——」

「什麼，這是她對你說的，她幾時跟你說過？」華玲瞅著方永。

方永心裡一跳。「華玲是不知道她姑媽那天……我說溜嘴了，」他想。「不是她對我說，」方永說道，「我是那樣想：她現在一定有這樣想法！」

「哦——」

方永要再喝一杯咖啡。他要華玲再來一杯橙汁。

「不。我要一杯清茶。」她說。

「我那天在這兒看見你，到現在剛好一個星期……」方永說。

「嗯，」她想著什麼，說道：「那天也是星期六呀。我偶然跑進來喝茶的。」

「你奇怪我幹嗎盯著你吧？」

「現在不奇怪。因為我知道──」

「知道什麼？」

「我的眼睛有點像你以前的妹妹。」

「嗯。」

「可是，你妹妹的眼睛是怎麼樣的呀？」

「看了叫人家覺得愉快。」

「你在說謊。」華玲笑了笑說。

「那天──後來我在彌敦道什麼街口又看見你呢。」

「哦？」華玲驚訝地望著方永。

「你在買橙子。沒看見我。」

「我那天是打算看我姑媽去的！」華玲說。

「後來沒去？」

「你怎麼知道？」華玲白了他一眼。

「你說『打算』！人家講話我聽得很小心的呀！」

「小心得像一個會計！」

「一下子就入耳——像一個熟練的電話接線生！」

華玲露著那潔白的牙齒，一笑道：「嗯，後來我沒去我姑媽那兒，因為我突然想起一件東西，留在朋友家裡，忘了。我去拿。」她的話顯然是前天方永在樓梯口那段話的翻版。

方永心想：你在挖苦我呀。

「你跟我開玩笑！」他對華玲說。

「真的呀，那天……我後來回到朋友家裡——」

「朋友？」

「同事。」華玲答道。

「男同事？」

「女同事。」華玲說。

方永愉快地笑。

華玲突然沉默。

「你喜歡音樂？」方永說。

「要看什麼音樂？」

「那些吵得人心煩意亂的，你一定喜歡。」方永開玩笑地說。

「喜歡。」華玲一笑，「因為心煩遇著心煩就不心煩啦。」

方永跑到角落裡的那具紅紅綠綠的點唱機面前，把一個一角子放進去；回來，對華玲說：

「我一直很討厭這東西；但有一天我聽到一隻叫我喜歡的音樂——第二天我也就試試。」

「點唱？」

「點唱。我簡直不曉得怎麼『點唱』法。後來還是『企堂』教我怎樣把角子放進去呢。」

「你相信不相信，到現在我是連放也不會放？」

方永直望華玲。「我相信。」

「我說的一切，你都相信？」華玲說。

「相信。」方永點頭。

「你太相信人。」

「我相信你。」說著，方永心想，自己以前太相信吳瑛了。

唱機上響了一陣硬幫幫、緊繃繃的什麼音樂後，停了下來，之後，它飄出一段柔和的音樂。

「那是*Auld Lang Syne*！」華玲說，「聽說，那是一隻民歌。一隻古老的蘇格蘭民歌。」

「你不喜歡？」

「喜歡！」華玲點頭。

方永瞧著華玲，靜靜的，好像一切靜靜的美妙的。和平啊，方永突然這樣想……

華玲的眼睛有點憂鬱，有點淒涼。

方永想起自己的身世，華玲的身世。他衝口說出這兩個字來——

「華玲！」

「什麼呢？」

「我可以叫你華玲？」

「我本來就是華玲啊。」

「我想，假如你的哥哥還在……」

「假如你的妹妹……方永……」

「怎麼？你，你哭啦？」

「我沒有哭。」華玲笑了笑。

「可是你流眼淚。」

「那是因為這隻歌叫我感動。」

「我為你點唱的。就像為一個親人，為我的妹妹……」

那柔和的音樂停下來。華玲把枱上的一包香煙捏了捏，說道：「你不抽煙啦？」

方永微笑搖頭。「*Auld Lang Syne* 再唱它一遍好不好？」

「五點半啦，你看！」華玲說著舉起左手叫方永看看她腕上的錶，「老鄭他們——」

「就在這兒吃晚飯吧。」方永說。

「不。」華玲答。

方永突然感到一陣尷尬。他不知道華玲是不好意思還是不願意跟自己單獨在外邊吃飯。但那陣尷尬很快就沒有，因為這時唱機響起了一陣使人煩躁的吵耳的噪音。「那麼華玲，我們走吧。」他無可奈何地搖了一下頭笑著說。

第九章

方永和華玲回到渣甸街老鄭家裡。

在廳上，一聽衝著方永說：

「方叔叔，你昨天晚上答應請我看電影的！到現在才回來？」

「我不是說今天請呀。」方永說著望了華玲一眼。

華玲向他笑了笑。

「玲姐姐，你跟方叔叔……」二文說。

華玲輕輕的拍了拍他的小腦袋。「二文，等下吃完飯我們出去玩玩，好吧？」

「你跟方叔叔看電影，嘻嘻，是不是？」二文說。

華玲沒回答他。

鄭大嫂跑進廳裡來。華玲告訴她今天下午在姑媽家裡跟方永碰頭。

「是嗎？」鄭大嫂問方永。

方永說：「想不到呀，那二房東就是華姑娘的姑媽……」

出神地聽著母親跟方叔叔談話，一聽突然咯咯的笑起來，對二文說了句什麼。

「媽，」二文叫起來，「方叔叔跟玲姐姐今天拍拖！」

「小孩子懂什麼！」鄭大嫂搓了搓身上的圍裙，瞟了二文一眼，「誰說的？」

「哥哥說的！」

華玲和方永的臉都一下子紅起來了。

「你們到外邊去！」鄭大嫂對一聽和二文說。

「我不去！」二文鼓著腮幫子答道。

「一聽跟弟弟出去玩！」鄭大嫂吆喝著，「我要跟方叔叔、玲姐姐談話。」

一聽怯怯地瞧了他母親一眼，然後對二文說：「我們到裡面去玩『打波子』。」

他扯著二文的手悄悄的溜進房間去。

「老鄭去了澳門。」鄭大嫂無精打彩地對方永說。

「去了澳門？去澳門幹嗎呀？」方永詫異地問道。

「誰知道！他下午一回來，連飯也沒吃，就匆匆忙忙趕兩點半船去！他說同事——又是同事！……」鄭大嫂嘀咕著說。

「大概是到澳門旅行吧？」華玲說。

「他就是那樣說——同事叫他去玩玩。可星期六不跟孩子們一起在家裡……澳門有什麼好玩？誰知道他心裡打的是什麼主意！」鄭大嫂驀然歇斯底里地叫起來。

嗯，老鄭打的是什麼主意？……去，去賭錢？方永想起了那幾千塊錢。

「大嫂，」方永說，「他常常去澳門的嗎？」

「不。幾年來，第一趟。」鄭大嫂說，「方永，我同華玲說過的啦。」

「說過什麼？」方永的詢問目光落在華玲的臉上。

「鄭大嫂她說——」

「方永，」鄭大嫂說道，「女人跟女人好講話。我不瞞你，我懷疑老鄭在外邊有了人。」

「我看鄭大哥不會那樣的吧？」華玲安慰她說。

「有了人？什麼意思？」方永問鄭大嫂。

「女……」

「女人？」方永望著鄭大嫂。

「唔，女人！在外邊……」

方永真想把老鄭用掉幾千塊錢的事對鄭大嫂和盤托出；但那晚上，打那小酒家走出後，自己答應過老鄭在大嫂面前保守秘密的呀。給老鄭一個「重新做人」的機會吧，他想。

他向鄭大嫂道：「你懷疑他……有多久啦？」

「我也記不清楚多久啦。自從那天，我發覺他對我越來越冷淡……」

「有時候，一個人工作太忙……」華玲插嘴道。

「可總不會那樣精神恍惚的吧？」鄭大嫂說。

「精神恍惚？那是因為拆遷、找房子的問題……」方永說。

「誰知道是不是呢？」鄭大嫂茫然地說。

嗯，誰知道老鄭是真的把我那些錢輸掉了，還是花在外頭一個什麼女人的身上呢？方永默默的想。

方永問道：「老鄭什麼時候回來？」

鄭大嫂答道：「星期一他得上班。大概和朋友趕夜船回來吧。」說了這一句，她的臉就沉下來直到吃完飯。

方永瞧了瞧華玲，華玲沒有什麼表示；兩個孩子呢，悶聲不響。方永心裡覺得有點不好過，飯後，便說請大家去看電影；起初鄭大嫂不肯去，後來經華玲慫恿，就點頭了，一聽和二文聽到有電影看，就登時眉開眼笑——方叔叔前、方叔叔後了。

「好，我馬上去買票！」方永站起來。

華玲也站起來。

「怎麼，你——」方永向她笑了笑。

「讓我去！」華玲說。

「我去嘛！」方永說。

「還是讓方永請好啦！」鄭大嫂說。

華玲坐下。方永才走到門口就聽到鄭大嫂在後面叫道：「方永，一聰、二文兩人一張票，知道嗎？」

「知道！」方永興沖沖的說著去了。

回來時，他說買的是九點半場京華戲院的票；因為是週末，七點半場全院滿座了。

「方叔叔，」二文嚷道，「我們到維多利亞公園打鞦韆去！」

「好哇！打鞦韆！」一聰起勁地把二文的肩膀一拍。

二文跳起來揮動著那小拳頭要跟他哥哥打架，給鄭大嫂罵了幾句。二文望著方永和華玲突然笑起來。一聰看見弟弟笑，他也露著那參差不齊的牙齒笑了。「二文，你以為我剛才要打你嗎？真是！我也想打鞦韆呀！」他說。

「嗯，」方永說，「對了，我們大家先去逛逛，然後才去看電影，大嫂你也去吧。」

鄭大嫂說要收拾碗筷，不能去。到華玲說幫忙她收拾時，她就說不想去了。其實她私心裡希望華玲和方永能夠成為一雙愛侶。她認為，黃昏，一對青年男女能夠在一道逛公園是最好不過的事。一聰和二文打鞦韆，不礙事，她呢，穿插其間就不免礙手礙腳了。孩子們一定要去的，她想。

不去，就反而太露痕跡了。「太露痕跡」，有時會使一對彼此有意的男女變得——一千句話一萬句話但一句也說不出來的。她有過這樣的經驗：她跟老鄭初相識的時候，朋友們笑了一句，她就有好半個月不敢見老鄭；見了面也無話可說。

鄭大嫂用笑容送走他們，拿著碗筷回到廚房裡，想起老鄭，就嘆了口氣。上個月，老鄭連她生日那天也忘了。老鄭在外頭有了別的女人！她越來越覺得自己的揣測是有根據的了。她哼了一聲，心裡一陣憤懣。

銅鑼灣新填地上的維多利亞公園這時顯得特別熱鬧。孩子們在打韆鞦。因為韆鞦少，孩子多，一聽和二文就得排隊候「打」。韆鞦架不遠處，有一場小型球賽在進行著。一聽知道方永喜歡看足球，便說道：「方叔叔，你跟玲姐姐到那邊看足球吧！別管我們！」

方永望了華玲一眼。華玲對一聽說：「我不放心……」

一聽生氣地說：「喲，玲姐姐真是！有我！我會『看』住二文呀。」

華玲和方永離開他們後，做哥哥的就連忙低聲對弟弟說：「喂，看見沒有！方叔叔和玲姐姐拍拖。喏……」

「嘻嘻……」二文突然想起什麼，吐了吐舌，「別讓媽知道！」

「知道什麼？」

「說他們拍拖呀！媽會罵我們的！」

方永和華玲心神不屬地在球場外圍看了一陣球賽，一邊看一邊談起老鄭來。

兩人自然而然地移動著腳步沿著小徑，緩步走到鋪滿綠草的小坡那邊去。

華玲問道：「你以為鄭大哥會不會像大嫂說的……」

「不會吧？……」方永答道，「可是人有時候很難說……」

「你跟鄭大哥多年朋友，你覺得他人怎麼樣？」

「怎麼樣？」方永說，「也許……他到澳門去是賭錢。」

「賭錢？」華玲一怔。

方永想起了什麼，改口說道：「這只是我的猜想。」

十五分鐘後，他們在一張椅上坐下來。

方永抽煙。華玲望著遠處在出神地想什麼。

夕陽下山了，天角那片金黃色的晚霞漸漸地褪色了；維多利亞公園給曚曨的暮靄籠罩著。曚曨中，遠處有點點燈光。

「那是九龍呀，」方永用手指了指，說，「哦？華玲，你不說話啦？」

「哦！」華玲瞧著方永，「我在想——」

「過去？現在？」

「都想！」

華玲說著突然又沉默起來。

方永驀然瞧見她眼睛裡有點點晶瑩，公園裡的橙色的燈光在它上面亮呀亮的。是淚珠，是為華玲自己，也為他方永而流的淚珠，他想。他驀然握住她的手。

「方……」華玲停下來。

童年，往日，戰爭，親人的死亡，淒涼的音樂，方永心裡唸叨著。「華玲，」他說，「我……我了解你。」

「方先生，」華玲突然低下頭。

「方永！」

「方永，」華玲抬頭一笑。

「你的手幹嗎這樣冷的？你沒有什麼吧？」

「沒有。那本《寒夜》……」

「我明天帶給你，好不好？」

華玲點頭。「謝謝你。」半晌，她想起了一個什麼問題似的，驀然瞅著方永問，「你跟吳小姐認識好久啦？」

「吳瑛？」

「嗯。她……她到底是怎麼的一個人？」

「她嗎，」方永放開了華玲的手，「我不知道該怎麼說好……」

從韆鞦架那邊什麼地方，隱隱的傳來孩子們的喧嘩聲。

第十章

星期一，方永打了個電話到ＸＸ貿易公司去。他擔心老鄭不會照常上班；但老鄭是上班了。這天方永同他在外邊吃午飯，問他星期六為什麼突然不聲不響去了澳門。

老鄭口口聲聲說是同事臨時多出一張船票把他拉去的；說，跟大家約定同行的一個朋友那天生病去不成，他就補上去，所以事前連他自己也不知道會去。那麼巧？方永覺得事有蹊蹺，追問下去，老鄭就說：「我實在好久就想到澳門散散心的啦！去，有什麼值得大驚小怪的？」方永忍不住了，便盯著他說道：「老鄭，告訴你，大嫂懷疑你這天在外邊跟什麼不三不四的女人搞上！」但老鄭矢口否認。末了，他怒沖沖的說：「懷疑？她沒親眼看見吧？」

晚上在渣甸街家裡，老鄭幾乎跟鄭大嫂吵了大架；方永和華玲苦苦勸住，兩口子才勉強靜下來吃飯。那是一個叫大家都感到不愉快的晚上。七點鐘，老鄭披衣外出。

第二天，第三天……晚上這個時候，老鄭如常外出，非到十點鐘之後不回來；這就不免叫大家起了疑心。他究竟出去幹什麼呢？鄭大嫂問他，答的是：「我有事！」再問，就：「你管得著！」看到這樣，華玲自然不便多問了。方永呢，心裡想：老鄭是去賭錢？還是……可是，他哪兒來的錢啊？

如果老鄭真有錢賭，或者花在什麼女人身上，那錢，還不是我方永那些血汗錢？——方永對自己說。

有一兩回，他單獨跟華玲在一起吃午飯，他真想把自己對老鄭的看法說出來；然而，他不能那樣做；他覺得在道義上說，他是應該替多年朋友「護短」。正因為如此，有話不能對華玲說，他就覺得自己處處吃虧，有苦無處訴了。鬱在心上，那苦，就成為一種莫名的情愫；對老鄭，他採取消極抵抗的辦法；你要我不管嗎？好，我就不管！表面上是不管呀，但私心裡卻不值老鄭所為了。我不負你，你負我，幾千塊錢啊，他想。你有勇氣就向大家宣佈吧，看在朋友份上，我是不會宣佈你「對不起我」的！

幾天過去了。他跟老鄭越來越疏遠，但和華玲之間的感情卻急轉直下，進展得很快哩。華玲在寫字樓裡工作七小時，現在，這七小時卻成為方永一天中最不容易打發的鐘點了，因為每一天裡，「盡可能多見華玲一面，快點見到華玲一面」的渴望越來越大。這種渴望使他苦惱，但同時又充實他一度空白的心靈。往日他喝咖啡就喝咖啡，讀小說就讀小說；似乎沒有什麼打擾他。現在，米奇餐室裡喝著一杯咖啡，房間裡揭開一頁書，華玲的笑、淚和聲音，都成為一個個無法驅除的想念——對一個自己所愛者的想念。是那樣苦又那樣甜的想念。星期六那天真是一個值得紀念的日子。他的甜，他的苦，倘然他沒記錯的話，是從那天才真正開始的。他不能欺騙自己：他對華玲的感情不再是哥哥對妹妹那樣單純的感情了。他有過愛，但失落了；現在卻又重獲。吳瑛遠去，過去遠去了。多年來他漂泊著。在生活的大海裡，他是一隻船；他一度以為自己找到了岸，但那岸跟他不相通。他需要一個家，溫暖的家。他需要幸福，像別人一樣需要。最艱難的日子他熬得過。他方永什麼時候都吃得苦呀，他想。但吳瑛要穿好的、吃好的、住好的。到他真正發現五年的期待是一個失敗的期待時，彷彿已經太遲了。不會太遲。不可能太遲。在生活的大海裡，他還要向前行。他是一隻船，華玲是一片跟他相通的岸。相通，因為命運相同。戰爭，可詛咒的日子，人世上，我的妹妹你的哥哥，親人啊，永遠的別離；有什麼人，比命運相同的人更能了解彼此的呢？他需要一個家。他停下來休息，因為明天他還要向前行。他是一隻船，在漂泊的生活裡，現在他找到他要找的岸了。他覺得他愛上華玲。

一天晚上，方永和華玲看完一場電影分手後，在路上想：假如有一天我向華玲求婚，然後結婚……假如老鄭不輸掉或用去我那幾千塊錢，那又多好！

差不多十二點鐘，他回到尖沙咀寓所。

阿銀開門後，對他說：「方先生，你有一封信！」

奇怪，他想，誰會寫信給他呢？「信？什麼信？」他站在通道上盯著阿銀問。

「那是封航空信，我不認識字，太太吩咐，你一回來就馬上交給你……」

「哦？」那一定是封相當重要的信了！想著他沉吟地說：「什麼地方寄來的？……黃太太呢？」

「早睡啦。」

阿銀說著到廳上去了一轉，回來，把那封空郵的信遞給方永，方永一看信封，就隨即跑進房間，開了燈，把信拆開，一口氣讀下去。

方永：

你知道我新加坡的地址，但沒有給我寫信！

我收到黃太太給我那封信。信是你替她寫的，我一眼就認出你寫的字。我沒勇氣提起過去了。鄭康平君或者早告訴你，他在香港馬場見過他的呀。我現在嫁給他了。他是個正當的殷商，母親很以有這樣的女婿為榮。你知道，我一直對母親孝順。原諒我。記得以前在信中，我說過我常常想起你……那是真話。真：我同情你的境遇。作為朋友，我憐憫你。物質上我能有什麼可助你之處嗎？請說吧！假：因我最後寄去巴西給你的信，說的都是……唉，我那時已經變了，那是你不了解的變。我應該怎樣向你解釋呢？作為永久的結合，兩人中，我只能選一個更合我自己理想同時又合母親理想的。再說一遍，我是一個孝順的女兒呀。也許你會說我自私。但此情此境……試問誰又不自私，不為自己的前途打算呢？忘記過去吧！過去徒增惆悵，方永。我不想，也希望你不想過去。只希望你將來找到一個理想的人生伴侶。若然我尚欠下你什麼，那就是一筆錢！以前很多謝你；你在巴西匯過好幾次款給我。現在與此同時，由XX銀行匯上叻幣二千二百元，約值港幣四千；四千之數，就是你以前一共匯給我的款子。念在一場同事、朋友，尚祈喜喜歡歡收下，為慰！

我幸福、快樂，也祝你幸福、快樂！……

再者：請代問候黃太太……

這是吳瑛寄來的信！一封寫得非常潦草、有些句子讀來似通非通的信……

幸福、快樂？方永想。

有這樣的人！為了自己的幸福、快樂，就不惜損害別人的幸福、快樂！這是一個什麼樣的世界呀！究竟吳瑛嫁的是「他」還是錢？方永尋思著把吳瑛的信一揉，往地上扔去。半晌，他又把它拾起來，惘然地再讀一遍。

哈，憐憫我？方永冷笑一聲——吳瑛是變了，變得完完全全不是他想像中的那個一度曾是可愛的人。她為什麼會變得那樣……那樣自私自利的呢？五年前，當他方永失業的時候，她還是顯得那樣可愛而不自私的呀。「孝順」她的母親？那時候，她不是不顧母親的反對和窮措大的自己接近的嗎？是的，人有時候就那樣變了，從好變壞！什麼東西，使好變壞，使壞的變得更壞？一連串的問題在他的腦中轉著，轉著。

他失眠，他抽煙。在床上躺下來，又坐起；他第三次讀著信裡「匯上叻幣二千二百元……」那一句。錢，那「叻幣」，就可以賠償他五年來精神上的損失嗎？何況那錢，就是他方永自個兒的錢哪！

「四千之數，就是你以前一共匯給我的款子。」這行字，突然在方永的眼前跳出來——

他記起小酒家那晚上……現在，他明白了……他一直以為以前匯給吳瑛的是兩千塊錢啊。

第二天上午，方永踏出房間，就一逕跑去找黃太太。黃太太這時剛在廳上吃牛肉麥皮，看見方永就匆忙問他吃不吃。「我以為你還沒起來呢……」她說。

「謝謝，我不想吃……」方永點上一根香煙，在梳化上坐下。

「你昨天晚上很晚回來嘛。」黃太太說，「看電影？跟白妹——呃，我們那個阿玲，嗯？」

「嗯。」

「你什麼時候請喝？」黃太太張著那厚嘴唇，盯著方永。

「請喝什麼？你請吃粥嘛。」方永指了指他手上那碗麥皮說。

「喜酒，我說！」

方永笑了笑。沒做聲。

「怎麼樣，我沒騙你嘛。」黃太太咕噥著，「我說阿玲是個好姑娘！我介紹你，你不肯見她，怕見她……到你自己……這回，你的喜酒才賴不掉我呀。可不是？咳，說起來嘛，我那時候真糊塗，阿玲十五六歲，我就打算……哎，如果那時她真嫁了人，我才對不起她，也對不起你哩！她在你面前說我什麼來著？」

「沒說你什麼。她說你關心她……」方永說，「黃太太你先吃這個吧。我想跟你講話。」

「我們現在是講話呀。」

「吳瑛——」

「對啦？」黃太太索性把那碗麥皮放在桌子上，「那封信是她寄給你的？」

「是。」

「她信上寫些什麼？」

「她問候你。」

黃太太瞇縫著眼笑。「她也問候你呀。」

「我住在你這兒是你告訴她的？」

「可不是！那天……」

原來那天晚上，方永替黃太太找到那三塊六毛錢差額之後，方永到底替她寫了封回信；信末，方永只加了這麼一句：「你的同事方永曾到過舍下。」但第二天，黃太太在封信口寄出之前，自己添了一句：「方先生，現在是我的尾房客。」

黃太太把這個說出來後，方永嘆了口氣：「我本來連地址也不打算讓她曉得的……」

這一天，方永跟華玲一起在中環的一家餐室吃午飯。那是昨天晚上他們約好了的。

陪華玲上班，到了郵政局附近，方永心想：反正日內就會收到吳瑛那筆叻幣匯款了，管它呢，我跟華玲「豐富」一下吧，而且⋯⋯

他依依不捨地望著華玲。「今晚上見面！」

華玲以為他是說在渣甸街吃飯見面，點了下頭就走了。但方永叫住她。「華玲，你還沒聽我說呀。五點鐘以後在——」

「又在外頭？」華玲停下來，「唔⋯⋯那太花錢啦！我不去！」

「我們要慶祝一下嘛！」

「慶祝？慶祝什麼？」

「今晚上我告訴你。」

七點多鐘，看完電影，和華玲一起打娛樂戲院跑出來，人叢中，方永驀然看見鄭平康匆匆的往雲咸街那條斜路上走去。

「喂！」他把華玲的衣袖一扯道，「老鄭！」

「吓？在哪兒？」

「在那邊⋯⋯看見沒有？」方永說，「你先去⋯⋯馬來亞餐室等我！」

「什麼事？」

「一會兒告訴你！」

說完，方永就撇下華玲，遠遠的釘著鄭康平。

走了大概幾分鐘路之後，方永看老鄭慢下來，他就把腳步放慢，可是在這當兒——

「喲！你不帶眼走路的？」有個老婦人罵了他一句。

他發覺，原來自己踩了人家一腳！

賠個不是之後，方永抬頭，加速腳步，但老鄭這時已經走進鐵崗附近雲咸街的一家什麼屋子裡去了。

究竟哪一家呢？這兒是一戶住家，那兒是一家掛著個招牌的什麼「行」……它們都是關著門的。路燈下，方永徘徊了一陣，默忖道，誰知道他跑進哪家樓下或者樓上哦？

十五分鐘後，在馬來亞餐室裡，方永把跟蹤老鄭的經過告訴華玲。

華玲想了想，說道：

「會不會，他跑進朋友家裡或者俱樂部去呢？」

「賭錢？我也這樣想……」

「不一定賭錢！說不定他嫌家裡坐得悶——譬如跟朋友們聊天——」

「去得這麼準時？」方永答道。

「可是習慣，有時候很奇怪的呀。你到慣一個地方，到時到候，你就會想起那地方。」

「正如看慣一個人，到時到候，你就會想起那個人，是不是？」方永直瞧著華玲。

方永的眼光，期待的眼光！

華玲的臉突然一紅。一句也沒說。她瞟了瞟方永就低頭捏著枱上方永那包香煙。

「看慣一個人……」方永沉著聲說，「這些天……我常常想起你。」他鼓足勇氣問：「華玲，你想起過……想起過我沒有？」紫銅色臉上那雙濃眉下的明亮的眼睛閃著異樣的光芒。

「有時候……」她輕輕點了一下頭。

這答覆，方永似乎覺得滿意，但又似乎覺得不滿意。他只一笑，臉上的肌肉就突然一拉緊。嘴唇顫了幾顫：「有——」他心想，自己神經太緊張了。不對呀。又笑了一下，打趣地說：「有時候，那麼，更多的時候呢？」

「方永，你！」華玲掀了掀嘴唇，就又沉默著。她顯然在思索著什麼。一個問題吧？剛才充滿快樂的光采的眼睛，忽然間掠過一片陰影：苦惱和憂鬱、寂寞還有別的什麼在裡面揉雜著。

「我一定說錯了什麼吧？」方永問。

「沒有。」華玲把眉尖一束一放。溫柔地笑了一下。

「因為……心事？」

華玲不響。好一陣子才搖搖頭。

「因為——」

「沒有什麼。」華玲說。

那就好！方永默想。「你姑媽，」他說，「今天又提起你哪！」

「是嗎？一說就說個沒完了吧？」

「是呀。」方永答。

「說我小時候如何如何……」

「白白的臉，黑黑的眼睛，胖胖的手！不對呀，你看，臉是白，眼睛是黑，可是，」方永用手指彈了彈華玲那隻擱在煙包上的手指，「手一點也不胖嘛！我要抽煙！」

華玲噗嗤一笑。「請！」

「她今天沒說你小時候。說你十五六歲的時候才真……」方永劃了一下火柴，「跟你說正經的：你姑媽今天提起，提起我們！」

「哦！是嗎？」華玲應著，有意把話題扯到另一方面去，「嗯，你下午說慶祝——是不是生日？」

「不是。是關於吳瑛的。她嫁了個有錢的商人，來信向我『示威』呢……」

第十一章

華玲在歷山大廈五樓一家頗具規模、做出入口生意的洋行裡做電話接線生。她的工作有時很忙，有時卻清閒得可以看小說。

此刻，她坐在接線機（switch board）旁，把《寒夜》在枱上攤開來，但只看了一兩頁，就無法靜心看下去了。她顯然給什麼問題苦惱著。她皺了皺眉頭，把書推開。她忽然打個呵欠。昨天晚上，她睡得不好啊。餐室裡，方永把吳瑛信裡的一切都告訴了她……

我該怎麼辦呢？我該怎麼辦呢？她問自己。

從星期六那天起，她知道：自己越來越對方永發生好感了。方永對她那種如兄對妹的感情，她是完全了解而且可以接受的。但昨天晚上，方永向她暗示：他愛上她了。而她呢？她心裡感到快樂，但同時又覺得困惑。幾天來，白天工作，晚上在家，正如昨夜她回答方永時所說的一樣：她也想起他。但不止「有時候」，而是常常！為什麼方永的影子會常常出現在她的腦海中的呢？她只能這樣回答自己：她也漸漸愛上方永了。這一度曾是朦朧的愛，現在似乎越來越明顯了。一個鐘頭、兩個鐘頭……每一天，她又多盼望一下班就能夠看到方永的臉，聽到方永的聲音啊。然而，她能夠讓事情自然發展嗎？——讓方永……不，她不能……

十二點多鐘，方永的電話來了。

「華玲，」他說，「下班在——」

「不，方永，」華玲說，「我今天不想去。」

「為什麼？」

華玲拿著電話，好半晌答不出話來。

「華玲！」那邊方永在叫道，「你聽見我——」

「我聽見。」

「可你還沒答我呀。」

「我剛才忙著插內線……」

「為什麼不出去呢？」方永問。

「我……我昨天晚上……失眠！」華玲說。

「華玲……你是說今天精神不好，不想見我？」

「是……」

方永的笑聲。「等下一塊吃飯談談，就會好的啦！」

「可是——」

「可是什麼呢？」

「我打算在這兒吃。」

「打算？你還沒叫飯吧？」方永在那邊問。

「叫過啦。」華玲答。

「我知道你在——」

「不想出去。」

「好吧，我不勉強你。今天晚上見！」

「晚上——」華玲突然叫起來，「喂，方永等一等……」

這一天，華玲到底還是同方永一起在外邊吃午飯。

方永好幾次問她：「今天為什麼話也不多講一句的？」

她只說：「我今天精神不好。」

華玲有心事。她的確有心事，但她不肯吐露……

下午兩點多鐘，方永到旗昌街去找老張。他好幾天沒有看過老張啦。老張不在家。張大嬸説，前天老張找到一份臨時的工作，現在上工去了。是在一個同行的家裡做樟木櫳。

「大概六點鐘他就回來的啦。」張大嬸説。

黃昏時，方永回到渣甸街吃晚飯。他和老鄭彼此只點頭笑笑，直到吃完晚飯了，也沒交談上幾句。他真想問老鄭為什麼昨天晚上到雲咸街去，但一想，又覺得沒理由這樣問人家。

叫大家感到意外的是，華玲這一晚沒有回來吃飯。

方永想起了什麼。他走出鄭家，回到尖沙咀寓所，問黃太太華玲來過沒有。

「沒有呀。」黃太太説著怔怔的盯著方永，「不是出了什麼事吧？」

「不……」方永説，「她今天晚上沒回家吃飯。」

黃太太笑道：「哦——你這麼緊張啦？」

「華玲今天——我怕——」

「怕什麼，真是！」黃太太說，「難道還怕人家擄了去嗎？我看是去了同事那兒吧……」

方永打寓所走出來，快快的搭上渡船。船泊岸，他突然感到一陣空虛。碼頭外，路燈亮著一片淒涼。他想，下午華玲是沒說不回家吃飯的呀……她究竟到哪兒去了呢？再回渣甸街去看看吧……

他一望腕錶，才七點多鐘。不，他默忖道，華玲這時候大概還在同事家裡……

方永坐上開往堅尼地城的電車。

踏進旗昌街那家彷彿永遠開著的大門，方永叫了幾聲老張。老張從中間房一邊應著一邊跑出來。

「聽說你找到工作啦，老張！」

「唔，有生意嘛，就做到明年，沒生意嘛就做到年底。這是『私家』樟木櫳，幸虧我還會雕雕花……」

「怎麼？又會做木又會雕花，真多才多藝嘛！」

「阿玲在裡邊……」老張笑了笑說。

「哦？」方永心裡一陣高興，隨老張跑進房間，一眼就瞧見華玲跟她的姑媽張大嬸坐在床沿談話。

張大嬸看見方永來，就招呼著。華玲向方永輕輕的點了下頭，說：「你也來啦！」

老張叫「平頭裝」的大明端來張椅子，讓方永坐下。方永向坐在張大嬸和華玲跟前、矮凳子上的圓臉玉明和伶俐的小明睞了睞眼睛。

「大隻佬要劏肥雞——差利……還記得吧？」方永說。

「嘻嘻……哈哈……」三個孩子笑得臉蛋直顫動。

華玲莫名其妙的望了他們一眼，又望望方永。

方永把那天晚上三個孩子噴飯的故事對華玲說出來，華玲恍然，也吃吃地笑起來了。她記得有一回在鄭家，方永也講過《尋金熱》的故事。

這時房間裡充滿愉快的笑聲。

老張欣慰地望著孩子們，齜著牙樂了。

這樣溫暖的家！在巴西礦山裡那幾年艱苦的日子，老張是怎樣過的呀？

望著老張，方永心想：有個家多好呀，哪怕是一家五口一個中間房，外加一鋪碌架床！

他默默的望著華玲。華玲正柔聲地跟孩子們講著一個什麼動人的故事哩。

九點多鐘，方永和華玲走後，老張對張大嬸說：

「你姐姐說得對！他們是一對呀……」

「爹，」七歲的小明突然對老張說：「表姐跟方先生一起走！」

「一起走不好嗎？」老張瞅了他一眼。

「好！將來表姐是不是嫁給方先生的？」

「這……這我怎麼知道呀！」老張回頭望著張大嬸笑了笑。

華玲和方永正向電車站走去。

「你在老張家裡吃晚飯？」方永試探地問。

華玲搖了搖頭。「我吃完飯才想到去探望他們的……」

坐上一輛東行的電車，二人沉默著好一陣。

「你在同事家裡吃晚飯？」方永又問。

「我一個人在外邊吃。」華玲笑了一下。她望著車窗外熱鬧的夜街。

「一個人？」方永詫異地說。

華玲彷彿想起了一件什麼事，驀然旋過臉來瞧了瞧方永：「方永，你原諒我……」

「原諒什麼？」

「我心裡頭……」她突然又改了口，說：「今天我要早點回家睡！」

方永笑了笑。「我以為什麼？我這就送你回渣甸街去呀……」

電車到了中環，華玲說：「方永，你下車吧。我一個人可以回去。」

「不，我送你一程。反正我也不會睡得這麼早！」

結果呢，在京華戲院附近的車站下了車後，華玲沒馬上回渣甸街去，方永也沒立刻回尖沙咀。二人跨過車路，默默的走到維多利亞公園門口。

「到裡面去，好不好？」方永問。

「好吧。」華玲說。

公園裡，幾隻韆鞦架在夜風輕拂中一動也不動；孩子們都回家去了。白天有足球健兒們活動著的足球場，這時顯得一片空寂。遠處欄柵外偶爾傳來電車聲、汽車聲。但它們是不容易打擾那些坐在長椅上喁喁細語的情侶們的。什麼地方，有皮鞋或高跟鞋擦過地面響出細碎的窸窣聲，有人在低聲地哼著歌，誰知道那是一隻情歌，還是一曲流浪者之歌呢？

連一個下弦月的影子也沒有，只有疏疏落落的幾點小星在那面濃黑的夜空上點綴著。

縱然如此，方永還是有這樣的感覺：夜多美呀。

是的，別說是一個晴天的秋夜了，就算是一個風雨的秋夜吧，在方永看來，還是美的呀。

美，因為華玲在他的身邊。

他們繞到山坡那邊，在一張長椅上坐下來。二人很快地就發現：這長椅是他們曾經一度坐過的。星期六那天，從黃昏到日落……方永的每一句話，華玲彷彿都記得那樣清楚呀。

「方永，你真的不把吳瑛放在心上了麼？」華玲提出這個問題來。

方永不響，重重的點了一下頭。

「假如她不是這樣……你會想念她麼？」華玲問。

「假如她不是那樣自私，她就會等我回來了。」方永說。

「你以為她幸福嗎？」

「我不知道。你知道嗎?」

「我不知道。」華玲說。

「但她以為她現在幸福、快樂。」方永說。他盯著華玲,「你今天是有心事!你老實告訴我吧,華玲……」

「沒有心事。」華玲說,「那是因為昨天晚上睡得不好……」

「哎,我真自私!我只顧自己高興,就沒讓你早點睡……」

「沒關係。」華玲泰然地答,「你不是說要告訴我什麼的?你說好了。」

方永突然沉默著。四周一點聲音也沒有。靜。只有那橙色的燈光悄悄的在空間裡浮動著。方永覺得自己的眼睛有點潤濕。

「華玲!」

「什麼呢?」華玲靜靜的望著方永。

方永突然把手攢進她的手裡。

「我,有點怕。」華玲把方永的手一甩。

「怕?」

「時間不早啦。」華玲突然站起來,「我們走吧。」

第十一章

方永送華玲回到渣甸街，在樓梯口停下來，他對華玲說：「明天星期六。」

「那麼……」她想了想，說：「明天你打個電話給我吧。」

華玲上樓，進了屋子，就聽到鄭大嫂和老鄭在廳上吵架。

她謝過開門給她的二房東陳老太，就逕自跑進房間去。

待她正要跑到廳上去勸鄭大嫂夫妻倆時，就聽到老鄭的聲音：

「好啦，好啦，哭什麼。我……」

跟著，聲音越來越低沉。華玲聽不到老鄭跟鄭大嫂說什麼。

第十二章

第二天，方永收到吳瑛新加坡的匯款。他忙了一個上午：把吳瑛那筆算是「歸還」的款子存進銀行自己的儲蓄戶裡；同時寄封空郵的問候信給吉隆坡的堂兄堂嫂。他實在沒寫信給他們太久了；一年前在巴西的時候，他匯過一點錢給他們。

從郵局跑出來，方永跑進餐室打了個電話給華玲，約她下班後到餐室來。

但華玲說不能來，因為她約了她的表弟國平到家裡去。

「國平？我也想……見見他嘛。」方永說。

「是呀，國平打過電話回家，聽說，想約你什麼呢……」華玲在電話裡說，「我約了他一點半鐘。我一下班就趕回去……」

方永耽擱到一點多鐘，到渣甸街老鄭家裡去。華玲已經回來了。廳上靜得出奇，國平還沒來。

「他們呢？」方永問。

「他們今天『全家樂』呀。」華玲說，「連一聰和二文也出去啦。」

「哦？」

「我也覺得奇怪。」華玲說，「昨天晚上還聽老鄭跟大嫂吵什麼呢。可是今天——真想不到，我剛回來，就碰見鄭大嫂同兩個孩子出門，說，到中環去會老鄭。鄭大嫂還笑容滿面，問我去不去呢。『今天星期六呀』，她說……你覺得奇怪不奇怪？」

方永想了想，說：「但願他們真能『言歸於好』！可是，我擔心……」他問華玲道：「你對老鄭提過雲咸街那晚的事嗎？」

「沒有。」華玲說，「你呢？」

「也沒有。」

門鈴響了。

華玲跑去開門，帶國平進來。

「國平，」方永興沖沖的招呼道，「你打過電話給我？」

「嗯。你知道我今天想約你看什麼嗎？」

「電影？」方永說著又搖搖頭。他驀然打衣袋裡取出一張摺疊著的報紙來，一打開，就是體育版。「五時半，大球場開火！」他說，「這個，是不是？」

國平笑了笑：「猜得對！」

「但你說好跟我看電影的呀。」華玲對國平說。

方永打岔道：「也看電影，也看足球！」

「我看電影……可不看足球。」華玲噘著嘴唇說，「你們兩人去看吧。我從來不看足球，腳來腳去，有什麼好看！」

「今天你不去也得去！」方永說，「我和國平請你去──『我們』請你去！」

「是呀，白妹姐，今天是『大場波』！」國平興奮地道，「你從來沒看過大足球，就該去見識一下囉……」

已經過了五時半了。掃桿埔大球場裡，四座人山人海；對一球的得失，那反應有如此強大：掌聲，嘆息，那不約而同的千萬個聲音，在空氣裡歷久不散。大球賽裡的這一切景象，使華玲覺得新奇。她看看國平，國平正緊閉著嘴唇，緊盯著下邊球場上那個時高時低、時慢時快的皮球；看看方永，方永正緊皺著眉頭、聚精會神地望著洋隊那邊龍門。華玲跟著他的視線望去，觀眾們叫起來，國平緊握著拳頭，方永「啊」了一聲：「好！好──」方永伸長了脖子，華隊打進一球了！在震撼山谷的掌聲中，華玲突然興奮地抓住方永的手，緊緊地握著。坐在她旁邊的國平這時轉臉過來瞧了她一眼笑了笑，她臉一紅，立刻把方永的手鬆開。方永向她微笑。

方永突然想起五年前，吳瑛常常跟他一道看足球。那時候是在加山球場。是同樣的握手。吳瑛已經變了，不值一愛了；而華玲是那樣可愛呵……

「我收到她那筆款子了。」方永突然對華玲說。

「誰？方永，看——又衝哪！」

「吳瑛。」方永悄悄的說，「……可是我連回信也不寫給她。」他望著洋隊的龍門。

「最低限度你該寫兩個字：收到！」華玲說。

「寫？我現在跟她連朋友的關係也不是了。管它呢！我們今天要節目豐富……唉，這球可惜！」球場裡一陣緊張的叫喊，突然是同聲的嘆息……

這一夜。跟華玲分手後，方永和國平回到尖沙咀家裡，談了好一會，才各自就寢。

第二天，星期日。國平因為跟同學約好到新界旅行，很早就出去了。

方永起床後，還沒洗臉，黃太太跑來叫他聽電話。

他興奮地問：「是阿玲嗎？」

「不，姓鄭的。」

方永一怔，到廳上拿起電話：「老鄭嗎？」

「嗯。小方，等下我去探訪你，歡迎嗎？」

「當然……歡迎！」方永慢吞吞的回答。

掛上電話後，他尋思道：老鄭突然找起我來，大概……好吧，我就索性問他個一清二楚……

十點多鐘，老鄭來了。方永請他進了自己的房間。

「房間不錯呀。」老鄭在椅子上坐下來。

「大嫂和孩子們什麼不來呢？」方永遞煙給老鄭。

「我叫大嫂別來。」老鄭抽著煙，說，「小方，我想跟你單獨談談，我們好像越來越隔膜了。」

「唔，」方永苦笑，「老鄭，我何嘗不想跟你談談！我不明白，我們之間為什麼會變成這樣？」

「錢！為了那四千塊錢。這就是答案！問你自己吧，是不是？」

方永吶吶的說：「還有……還有別的原因吧？」

「什麼原因？你，你坦白說呀。」

「你的一切叫我懷疑，先是賭馬，後來又——我告訴你吧：大前天，星期四那晚，我同華玲看電影，散場，在娛樂戲院附近看到你……在雲咸街，我跟著你……」

「哎，我去上夜班哪！」老鄭說。

「哦？每晚七點鐘，都是上夜班？」

「七點半，每晚。是的，除了星期六和星期日的晚上。」老鄭往下說，「你還沒忘記上個星期六我到澳門去的事吧？當然不會忘記！大嫂還懷疑我在外邊有女人……唉，昨天晚上我已經對她說明白啦！……小方，你知道那是為什麼？為了錢！散心？我才沒有那份閒情！我早買好船票；我要賭，要到『中央』酒店去博一博；買『大小』，這是最簡單不過的賭法了。我想呀，這一博，就可能決定我以後的命運……」

「你說的什麼話！」方永緊盯著老鄭。

「輸，那後果就不堪設想；贏，我就贏它四千！」

「四千？」

「然後把它統統還給你！」

「還給我？那四千，你還放在心上？」方永費勁地說著，「我後來不是已經不當作一回事了麼？」

「可是小方，我知道你把它當作一回事！我知道你的性格……我也知道自己實在把它當作一回事！有什麼辦法呢？小酒家那晚上，你的態度是那樣影響我……」

「我的態度不對？唔，就算是不對吧，可是我……」方永理直氣壯地說，「到底是為你好呀。你自己說的，老鄭，你又到澳門——」

「是的，我到了澳門，當時我心裡非常苦惱；錢，四千塊錢就真的把一個人縛住了麼？我想呀，我老鄭不能這樣縛住自己！我進了『中央』，我流著冷汗，手發抖，我差點兒把手放到賭枱上啦；但我不能這樣做啊，我想，我有老婆、孩子，還有朋友！我到底臨崖勒馬，頭也不回的走出『中央』了。回來，星期一，我就安心開始做那份夜工。印度人開的莊口，每晚兩個鐘頭的簿記、會計工作。記得嗎？」老鄭停了停，向方永一笑道，「有一晚我沒回家吃晚飯，說什麼同事生日，哪裡是！」

「那麼，你當晚到什麼地方去？」方永問。

「請一個朋友在外邊吃晚飯！我託他替我留意：哪兒有人請經驗豐富的『晚上會計』。那朋友做過經紀，人很熱心的，商場的人事關係又不錯。他到底替我碰到了——說『碰』才真是『碰』呢！失業人多，誰有把握找到這樣的一份夜工呢？每晚兩個鐘頭，月入兩百，不算少。幹它廿個月，我想，就可以……」

「唉，」方永嘆了口氣，「老鄭，何苦呢？你說過的，人不是鐵打；日做夜做，怎麼行？……而且我說過原諒你的……那錢，算了吧！」

「算了吧？」老鄭托了托他那膠邊眼鏡，站起來，在房間踱著說，「你以為我真是賭馬把你那四千塊錢輸了麼？」他又回到椅子上，坐下。「小方！我……我幫助了一個朋友！」

「幫助了一個朋友？」小方驚訝地說。

「嗯。他叫做麥天宏。你知道我那頓午飯一直在石板街六姑那兒搭食的。麥天宏也在那兒搭食。大家天天見面，見了半年；算得是萍水相逢，搭食朋友了。兩個多月前，有一天，他突然咯血，患的是肺病。他進了一家私立的療養院——公立的，可就不容易有房間、有床位呀！醫生說，他的病不很嚴重，只要好好的『療養』三頭幾月，就可以照常工作了。但『打工仔』呀，拍手無塵，哪兒來這筆療養費！有一天我到他住的三等病房去探他。他哭了。你知道，一個病人的感情是很脆弱的，尤其是一個患了肺病的人。他哭。他說要出去工作。他家裡有一個母親。我說：『你暫時不能工作。』他說：『我能。』小方，我那時候自己正為了『拆遷』問題，又苦、又悶、又煩。看到他那樣，我心裡更覺得苦了。老實告訴你，我偷偷的為他流過眼淚：假如我是他，我又怎樣辦！我回到家裡考慮了整整幾個晚上……小方，我怎能見死不救？」

「老鄭，你早該對我說呀……」

「對你說？嗯，為什麼我當時不老老實實對你說出來呢？」老鄭搖搖頭道，「那原因似乎很簡單，但也相當複雜。我說過，我知道你的性格，也明白你的做人態度。你不算吝嗇；但你從來不會花那所謂『冤枉』錢。一句話，你不是屬於很豪爽那類人。固然，如果某人使你稱心滿意，你會對他豪爽一下的。那就是說，對你特別喜歡的人，高興的時候，你會慷慨，會一點也不計較。但豪爽到底不是你的個性呀……你對錢，有你自己的看法。我不是說你把金錢看得比友情更重，不是的。你不肯隨便受人恩惠，那是你的好處。但反過來，你也不輕易『無條件』的幫助人——說經濟上的幫助吧。叫我怎樣說呢？……」老鄭一頓，噴了口煙，然後繼續說道：「小方，其實我也不能埋怨你。麥天宏與你素昧生平呀。他只是我的一個萍水相逢的朋友；而且又不是深交。倘然我對你說，我把你那四千塊錢『贈』了給他，你會怎樣呢？我當然想，你會說老鄭真懂得慷他人之慨啦；你會說老鄭倚老賣老，拿著老朋友的身份壓你，叫你做不是出於自願的事。問題在於你失業的時候，我多多少少……唉，你當然不會真的那樣說。但你會不會那樣想呢，小方？」

老鄭望著方永停下來深深地抽了口煙。

方永慚愧地望著老鄭，好半晌才說：「我，我不知道。你……你也許說得對。」

「也許我太『世故』了點呢。」老鄭說，「我的想法做法也許錯了。可是，你回來了，我要交出你的銀行存摺了，憑良心說，我那時的確碰到了一個『交代』的難題。我想……」

「你想——？」

「嗯，將心比心，易地而處吧，」老鄭說，「我想，倘然我到巴西礦山裡捱了五年，回來，愛人遠去，而血汗錢讓別人『拿』走了四千……我又怎樣呢？小方，你記得嗎？我們請你吃晚飯那個晚上，一別五年，鄭大嫂見到你，忍不住流淚，她說：『方永，這個錢真不容易搵的呀！』我當時想，她說得對呀……我好幾次想坦坦白白告訴你那筆錢……但可就是沒勇氣。我問自己，方永會怎樣說？會怎樣想？直到那晚，在那小酒家裡喝悶酒，你悶，我何嘗不悶！我要向你攤牌了。我心裡還在十五十六盤算：怎樣攤法呢？決不定。到後來，你告訴我：你匯過錢給吳瑛，我更覺得不易開口了。我心想：方永這回損失加損失了。」

「可是吳瑛——」

「小方，你聽我說下去。因為我告訴你在馬場裡一次兩次碰到吳瑛跟那男人，你就懷疑我是賭馬把那四千塊錢輸掉的。我說是同事拉我去，順順人家意才去馬場看看熱鬧，但你已經有了成見了，你不相信我的話。」

「是的，當時我……」方永尷尬地笑了笑。

「就在那時候，我心想，好吧，既然你方永硬說我賭馬輸了……我就用『賭馬、輸錢』來攤牌吧！」

老鄭說著望著方永，笑了一下。

「老鄭，這些天……真委屈了你……老實說，在小酒家那晚上，心裡一算，除了那四千，我還懷疑你另外吞去兩千塊錢呢！最少還有——」

「還有兩千塊錢？」老鄭吃驚地問。

「嗯，我當時對你說，先後一共匯過兩千塊錢左右給吳瑛。我一直也這樣以為。你說得對，我不是一個很豪爽的人。算起帳來，我是很清楚的，最低限度自以為很清楚。但對一個自己喜歡的人，譬如說那時候的吳瑛吧，我錢一匯了出去，就沒放在心上了。可是我又怎記得，吳瑛其實前後一共收過我四千塊錢呀。」

「那……不是兩千了？」老鄭說。

於是，方永把收到吳瑛的來信和匯款的事告訴了老鄭。

「老鄭，我真怪錯你了。」方永說，「請再抽根煙吧！」

老鄭把煙捲放在唇上，方永替他劃上了火柴。

兩人彼此望了一眼，笑了。沉默一陣後，方永說道：

「你們昨天下午『全家樂』嘛，很高興，嗯？」

「嗯，你怎麼曉得？」老鄭說。

「華玲說的。我昨天下午到渣甸街。後來，華玲、她的表弟和我，三個人，還去大球場看了場精彩的足球呢。」

「小方，」老鄭盯著方永突然問道，「聽大嫂說，你近來跟華玲很……很好，是不是？」

「是。」

「好到什麼程度？」

「我……」方永瞥了老鄭一眼，說，「我個人認定她是我的……愛人。將來我打算——」

「可是，小方，你不能夠這樣做！」

「為什麼？」方永愕然。

「譬如說吳瑛跟別人吧……你這次回來，她去了，你心裡是很難過，是不是？」

「嗯，」方永點頭，「但現在我已決定跟華玲——」

「小方，華玲已經有了男朋友！」

「男朋友？什麼男朋友？」

「到了愛人程度的男朋友！他就是我剛才對你說的那個麥天宏！」老鄭說著難

過地瞅著方永。

方永的臉驀然一沉，抖著聲說：「老鄭，你以前幹嗎不對我說呢？」

老鄭抱歉地答道：「唉，小方，我昨天下午才知道……」

原來昨天下午，方永、華玲、國平三人在鄭家談週末節目的時候，老鄭一家正在茶樓上飲茶；這下午過了海，老鄭把一聽和二文安頓在岳母家中後，便同鄭大嫂一起去看麥天宏。

「我特意同大嫂去，為的是叫她相信的確有那樣的一個患肺病的朋友。」老鄭說，「我以前一直不讓大嫂知道，是怕她埋怨我自作主張把你的錢……哎，前天晚上實在給她吵得沒辦法了，我才——」

方永打岔道：「麥天宏還住在療養院？」

「不。早已回到家裡休養。他離開療養院那天，曾經打過電話給我。事實上，自從搬到渣甸街後，我就一直沒去看過他。昨天跟他談起渣甸街家裡的情形，我就提起華玲來……」

第十三章

下午兩點多鐘。米奇餐室裡坐著華玲和方永。他們昨天本來約好在這兒吃完飯後就看電影去的。但現在，方永再沒有那份「娛樂」的心情了。他起勁地吸著煙。

「方永，」華玲瞧著他顫著聲說，「你以為這些天我感情上玩弄你，欺騙你嗎？」

「你認識他好久啦，可是？」方永說。

「幾年了。因為是同事，大家見面的機會也就多。我們談得來，而對善惡的分別，看法，又大致一樣。他年青，像你一樣年青。他善良，像你一樣善良。固然，有時為了某些問題我們也會爭吵起來，但很快我們又——」

「和好如初？」方永苦笑了一下。

「唔。那次咯血後，證實他患肺病了，你知道我心裡當時有多麼憂愁！」

方永瞧著華玲那雙閃爍著淚水的眼睛。「我可以想像到。華玲，我頭一次看見你，在這兒，就在這餐室裡——」

「嗯，那天星期六下午。我到他家裡去。還買了橙子去！在彌敦道那街口，你看見我買的……」

「但你那天說，說女同事？」

「方永，我當時心裡很矛盾；我同情你，因為戰爭，親人……我們的遭遇差不多；我知道寂寞是怎樣的一回事；我想，你剛剛失去了吳瑛，而我們那天又談得那樣起勁，如果我突然告訴你我有男朋友，是不是『冷酷』的事？會不會叫你覺得更寂寞？」

「可是那以後，」方永說，「你還是可以告訴我的呀。」

「以後嗎？」華玲啞著聲說。「我心裡越來越亂。我漸漸……」她一停，又說，「方永，你不知道，就在我買橙子去探天宏那天，我跟他為了點小事，吵起來了。那天我們不歡而散。他說我在外邊一定有男朋友。他在試探我。雖然他當時用開玩笑的口吻說，但我受不住。我那時候連你還不認識呢……」

「華玲，」方永說，「一個患肺病的人有時候特別敏感。老鄭說他哭過……」

「嗯。昨天晚上老鄭和鄭大嫂跟我談了一夜。我現在也覺得那天跟天宏爭辯是我不對。他還沒復原呀。他自卑；而自尊心也特別強；你想想，老鄭幫助了他那些錢，我說的是你的錢，他沒有對我提過呢；他只說是一個老朋友還給他的錢。我想，如果將來只要還得起的話，他一定會把這筆錢還給老鄭，也就是還給你……」

「華玲，我用不著那四千塊錢！……你們那天吵了嘴，後來——」

「我的自尊心有時也太強了點。這是我的缺點吧？後來——後來我就一直沒去看過他；我和你常常見面了。」華玲突然低下頭說，「你知道人的感情有時候真……我開始苦惱了。」

「那是因為你還在愛天宏！」

「那是因為……」

「你知道我已經愛上了你？」方永瞅著華玲。

華玲點頭。她咬了一下唇皮。「所以——」

「所以前天你開始逃避我。」

「我想告訴你，但又不忍告訴你……」

「所以那天你到底又答應同我吃午飯。」

「嗯，但回到行裡，我又後悔了。那晚我沒回渣甸街吃飯，我決定去看天宏。

可是到了他家的門前，我沒進去。不知道是為了自尊心還是什麼，我突然難過得要哭了。」華玲幽幽地說，「我不知道我該到哪兒去。到尖沙咀找你嗎？不能！我想，我不該再跟你這樣來往。回家嗎，我又怕你在家裡等我。我問自己：為什麼不坦白告訴你：『我不能愛你！』為什麼？我自個兒答不出來。」

「是怕我傷心？」

「大概也怕我自己傷心吧。」華玲答道，「我後來想起：好久沒探過老張和二姑媽了，我就買了盒糖到旗昌街去。而你又偏偏來啦。」

「我那天下午找過老張。」

「我知道。我那時候心裡是寂寞的。你來了，說真的，我很高興，像見到一個親人、一個多年朋友那樣高興。但我知道：你已經不止把我看作一個親人，或者朋友了；那晚上，你記得嗎？我突然問起吳瑛……」

「記得！」方永嘆了口氣，「你那天一切都是『突然』的……」

「我問：『你以為吳瑛會幸福嗎？』我的意思是：一個對愛情那樣自私的人，她對幸福的看法是怎樣的呢？她會覺得真正幸福嗎？——方永，你記得的，那晚上我說：我怕！」

「你怕——」

「我怕會走上吳瑛那條路。」

「但我不是一個有錢的商人！」方永的臉上有苦澀的笑。

「是的，我到底不是吳瑛！我想，我不會為了金錢就愛上……但我還是怕，怕自己真的愛上了你……」

華玲低頭喝著紅茶。方永抽起煙來。米奇餐室的空氣彷彿由於他們的突然沉默而變得異樣。角落裡那具點唱機什麼時候開動了。方永起勁地噴了口煙。音樂在響。煙在空氣流呀流的。

方永的心上有憂愁在流。他呷一口咖啡，之後，覷視著華玲。

「你剛才說——？」

「這一回，只有這一回，」華玲說下去，「你原諒我——我無法抑制我自己的感情。我不該跟你——但昨天我又跟你在一起……」

「國平也在一起嘛。」

「但到底是不對呀。」華玲誠懇地說，「方永，你說，我這樣做是不是很不對？……為什麼我會這樣做呢？」

方永痛苦地吸著煙，默默地尋思著什麼。好半晌，他突然問華玲：「你跟我在一起快樂嗎，華玲？」

「快……快樂。」

「但你現在並不快樂！為什麼？因為你不能離開麥天宏；因為你實在還愛他；因為你曾經這樣想過：如果愛上方永，對麥天宏來說，你就是自私！即使你快樂，我快樂；但麥天宏呢？痛苦！華玲，他是你的愛人，他比我更需要你！有一天，他的病好了，他工作了，那時候你們多幸福！作為朋友，我是不是應該替你高興？是應該呀……」

華玲流著喜悅的眼淚，靜靜地望著方永。「方永，那你原諒我了？」她感動地說。

「應該是天宏原諒我！」方永說著，悄悄的離座走到角落裡去；一會，回來，笑了笑說：「華玲，聽完我『點唱』的 *Auld Lang Syne* 答應我做好妹妹：去看天宏吧……」

尾聲

兩個多禮拜過去了。在這期間，方永收到吉隆坡堂兄的回信。「永弟，」他的堂兄在信上寫道，「可能的話，希望你回來。兩個侄子，他們從來未看過你一面……吉隆坡的外貌雖然沒多大改變，但它到底不是從前的吉隆坡……回來看看吧。」

於是，有一天晚上在老鄭家裡吃飯的時候，方永告訴大家：他想回吉隆坡去。不知怎的，六歲的二文竟然哭起來了。

「方叔叔，我捨不得你……」一聽撲到方永的懷抱裡。

「小方，」老鄭嗒然若失地說，「如果是為了職業問題，我那份夜工可以讓給你嘛。」

「不，」方永笑了笑。

「那為什麼要走呢？」鄭大嫂黯然問道。

「想家，」方永答。

我哪兒有真正的家呀，他想。可是……

華玲一聲不響。鄭大嫂望了她一眼。

「方永你……回來嗎？」華玲很困難才吐出這一句來。

「說不定。」方永向華玲笑了笑，「幾時你跟天宏請喝喜酒，我會來……」

是一個深秋的晚上——

方永離開旗昌街老張的家，回到尖沙咀寓所，出乎他的意料外，黃太太把一封新加坡來信遞給他。

「吳瑛……她怎麼說？」黃太太在旁問，「有問候我嗎？」

方永讀著信，搖搖頭說：「她嫁的那個男人不好！」

「什麼？」黃太太眼一瞪，說，「她以前說他很好——」

「她現在發覺：那男人已經有了老婆、孩子。信裡說：她只做了人家妾侍……」

「妾侍？」黃太太驚異地叫道，「吳瑛肯嗎？」

「她現在後悔！」

「方永，你這次回吉隆坡，不是可以順路去看看她嗎？說起來，真抱歉！我起初可真的不曉得我們的阿玲已經有了男朋友……」

「黃太太，我知道你是不曉得。」

「我看吳瑛這回受了這個教訓，就會——」

「她說她現在心裡非常難過。」方永嗄著嗓子說。

「那就應該馬上提出離——離婚呀。」黃太太忿忿地說。

「沒那麼容易……那人在當地有財有勢。」

「她母親呢？怎麼說？」

「她沒提她母親。」

方永說著把那封信往衣袋裡一塞，心裡尋思道：吳瑛的幸福、快樂就這樣給自己和別人毀了？她有勇氣擺脫那個不好的男人、重新做人麼？

他將來到了吉隆坡是不是應該寫封信給她？方永想，吳瑛以前在信裡說過「憐憫」他的遭遇；現在卻是他覺得吳瑛可憐了。

第二天夜裡，彌敦道上人們同樣在絡繹不絕地走著，米奇餐室那隻點唱機還是時開時停，維多利亞公園的路燈依舊在長椅上靜靜地灑下橙色的燈光；方永在老鄭、老張、國平的聲聲「再見」裡，在華玲、鄭大嫂的淚眼模糊中，挽著那發黃的小皮箱走上一隻開往庇能的輪船去。

緩緩前行，船在海上，方永在海上。

船和方永遠遠的離開華玲，離開岸。

（一九五八，春天）

舒巷城自傳

我原名王深泉，祖籍廣東惠陽縣。一九二一年九月十二日生於香港，在此長大受教育。早年西灣河、筲箕灣是我的家和生活基地。街坊上和那一帶的人事悲歡，為日後的小說創作提供過好些素材（短篇《鯉魚門的霧》、長篇《太陽下山了》是其中例子）。父親在當地開了家商店，卻無法改變我這長子難以「子承父業」的命運。七歲進私塾唸「人之初」，為期甚短；繼而在兆榮漢文學校肄業，背誦古文舊詩是功課之一。讀了幾年小學後，考取到當年官立英校特設的獎學金；於是先讀「五年免費」的育才書社（Ellis Kadoorie School），後讀教會辦的華仁書院。（前者位於上環附近某小崗高處，是一座設有鐘樓的西式紅磚建築物；後者當年位於中區羅便臣道側的半山上。）回顧那六、七個年頭，每天上學、放學，往返之間要走一大段的路才乘搭「長途」電車，可以看到這海港城市在變化中的日漸繁忙。自童少年時起，興趣廣泛，參加過小足球隊、曲藝社，學過唱粵曲、依譜填詞等等；喜歡看電影，喜歡風格各異的音樂、繪畫；接觸新文學後，可說「一往情深」了。因無緣攻讀大學，自知所學不足，便努力自修、學習，至今未輟。一九三七年「七七」事變後，香港人口倍增，文化事業蓬勃。在抗日戰爭期間就讀英文書院時，受了朋友及南來作家的影響，開始投稿。曾以王烙等筆名發表過一些小說、詩歌的習作；也曾被兩位寫新詩的朋友拉「入伙」，在某學院出過一本油印的《三人集》。

一九四一年太平洋戰爭爆發，翌年離開淪陷的香港赴桂林。往後異鄉歲月中，唯一與我「重聚」過幾天的親人，是戰前在廣州研讀戲劇、戰時在奔波中熱心於搞話劇的叔叔，即先父的三弟。到桂林後，我在印刷廠做過校對等工作；在書店朋友的鼓勵下，也曾於灕江畔寒夜透風的板房裡，化數月工夫把一部並非暢銷但風格獨特的英國小說（*The Sea Tower*）翻譯成中文。後來十八萬字的《望海樓》譯稿在戰亂中失去了。一九四四年秋，湘桂大撤退、大疏散，像千萬無家可歸的人，成了顛沛流離的難民。其後與一偶遇的青年朋友結伴，徒步穿州過省，從宜山到貴陽，每天身負行囊、曉行夜宿，途中暫停時替人家擺賣故衣籌路費；投野店、睡稻草鋪，都是平常事了。我輾轉到了昆明才找到工作，在美軍（盟軍）機構中任文員，也當譯員；直至戰後數年仍天南地北，先後在越南、台灣、上海、東北、北平（北京）、南京等地工作、生活過。那幾年添了點人生閱歷與風霜，偶爾執筆為文寫詩，或閱讀古今的一些中外文學作品時，似乎有較多的體會了。

一九四八年底返港與家人團聚。從那時起，卻要面對另一種現實，每天為衣食住行而忙。在高度商業化的社會裡，文學往往成了出奇的奢侈品。深夜有感：怎麼辦？只能以「非文藝」的職業（如會計工作等等收入）來支持那份「文藝興趣」或創作熱情。因此，四十多年來，為了謀生，先後任職於洋行或商行、建築公司、教育機構等，業餘從事寫作，一點一滴或時斷時續地寫。期間，曾向任職公司申請五個多月停薪留職的「長假」。一九七七年九月，應美國愛荷華大學「國際寫作計劃」之邀，赴美參加文學活動，為期四個月。（然後趁訪友之便，另加月餘難得的「逍遙遊」，帶著塗鴉自娛的畫冊上路；回來後曾把一些草於紐約、華盛頓、三藩市、西雅圖、東京等地的街頭速寫發表於此間的刊物上。）

個人除常用的筆名舒巷城外，還用過秦西寧、方維、邱江海、舒文朗、尤加多、石流金、秦可等筆名發表作品。

一九九二年

再來的時候（紀念版）

作者／舒巷城
封面畫作／Gary Yeung
封面設計／三原色創作室
總編輯／葉海旋
編輯／王陳月明
助理編輯／鄧芷晴
出版／花千樹出版有限公司
地址：九龍深水埗元州街二九〇至二九六號一一〇四室
電郵：info@arcadiapress.com.hk
網址：http://www.arcadiapress.com.hk
印刷／美雅印刷製本有限公司
原著初版／一九六〇年六月
花千樹版初版／一九九九年十月
紀念版初版／二〇二三年五月
ISBN: 978-988-8789-14-6